Dear 國漢,佳芬:

　　願你們凡事奧感.日日心意更新.
同心同行.互愛互諒,一無掛慮.
喜樂滿溢!

　　　　　主內 招江,海音
　　　　　　　敬上 7/2/03

心思的戰場

Battlefield of the MIND

你的心思是戰場，上帝是你的元帥，
靠著上帝，你必能勝過內心的爭戰！

Joyce Meyer

喬依絲‧邁爾◎著
林以舜、黃慶苓◎譯

謹將此書送給我的長子大衛：
我非常了解你內心深處的掙扎。
我看著你不斷地成長，
我知道你正經歷心思的更新所帶來的得勝。
我愛你，大衛，我以你為榮。
繼續堅守下去吧！

目　錄

第一部
心思的重要

引言

　　我們爭戰的兵器本不是屬血氣的，

　　乃是在神面前有能力，可以攻破堅固的營壘，

　　　　將各樣的計謀，

　　各樣攔阻人認識神的那些自高之事，

　　　　一概攻破了；

　　又將人所有的心意奪回，使他都順服基督。

　　　　　（哥林多後書十章45節）

　　應該如何描述，才能充分表達出我們心中意念的重要性，以闡明箴言廿三章7節所說：「因為他心怎樣思量，他為人就是怎樣……」的真諦？

　　我服事神以及研究祂話語的時間愈長，愈能領會意念和話語對人產生的重大影響。在聖靈清楚的帶領下，祂一步步引導我在這個範疇裡做深入的研究。

　　我曾說過、也深信這是事實：只要我們活在這世上，就需要在意念和話語的領域裡做研究。無論我們在任一領域有何深入的了解，在學習中永遠有新的疆界等待開發，舊有知識中也仍有更新的空間。

　　箴言廿三章7節的真義究竟為何？聖經上說：「因為他心

如何思量，他為人亦是如何……」另有一個譯本是這麼陳述：
「一個人心中怎麼想，他就成為什麼樣的人。」

心思是所有行動的領導與先驅。羅馬書八章5節說得很清楚：「因為隨從肉體的人體貼肉體的事，隨從聖靈的人體貼聖靈的事。」

我們的行動是心思意念的直接產物，倘若我們有消極的意念，就會有消極的生命。相反地，我們若根據神的話語而心意更新，就能如羅馬書十二章2節所應許的，從經歷中驗證神在我們生命中「善良、純全、可喜悅的旨意」。

我將本書分為三大部分。第一部分談到心思的重要性。我要在你心裡深植一個永久性的觀念，那就是：你需要開始思考心中的意念為何。

許多人的問題根源，在於他們引發了使生命困境叢生的思考模式。撒但對每個人都發出錯誤的訊息，但我們不一定要接受。我們要學習分辨：哪些形式的思考為聖靈所接受，哪些則不為聖靈所接受。

哥林多後書十章4～5節清楚地指出，我們必須對神的話語有足夠的認知，才能辨別出我們的意念和神的意念；我們要除掉任何企圖高舉自我在神話語之上的想法，順服在耶穌基督裡。

我禱告、祈求神，使這本書能幫助你如此行。

心思就是戰場。不可或缺的是，我們必須提升自己的意念對準神的意念。這是一個需要時間和研究功夫的過程。

千萬別放棄，因為你正一點一滴地改變。你的意念愈是往好的方向改變，你的生命也會發生愈多好的改變。當你開始在思維中看見神對你的美好計畫，你就會邁開步伐行在其中。

1 心思就是戰場

因我們並不是與屬血氣的爭戰，

乃是與那些執政的、掌權的、管轄這幽暗世界的，

以及天空屬靈氣的惡魔爭戰。

（以弗所書六章 12 節）

從以上的經文看來，我們正處於一場戰爭中。經文中提到，我們爭戰的對象並非人，而是魔鬼及其爪牙邪靈。我們的仇敵撒但企圖透過周詳的計畫和巧妙的計謀，以策略和欺騙的手法擊敗我們。

魔鬼是說謊者。耶穌稱牠為「說謊之人的父」（約翰福音八章44節）。牠欺騙你、我。牠會透露關於我們自己、其他人以及周圍環境的訊息，但這卻非事實。然而，牠也不會一次就把整個謊言的內容告訴我們。

牠剛開始是以經過巧妙包裝、看似微不足道的想法、猜疑、恐懼、疑惑、理性以及理論學說，持續砲轟我們的意念。牠所採取的行動是緩步攻堅（畢竟，周詳的計畫是需要時間的）。切記，牠對於爭戰是有一套策略的，牠對我們也有相當長時間的研究。

牠了解我們的好惡，牠了解我們的不安全感、弱點以及恐懼的所在；牠知道最能造成我們困擾的事物；牠不惜投資任何時間的代價來擊敗我們；耐心是魔鬼所佔的優勢之一。

拆毀堅固的營壘

「我們爭戰的兵器本不是屬血氣的，乃是在神面前有能力，可以攻破堅固的營壘，將各樣的計謀，各樣攔阻人認識神的那些自高之事，一概攻破了；又將人所有的心意奪回，使他都順服基督。」（哥林多後書十章4～5節）

撒但透過精密的策略和巧妙的欺騙手法，企圖在我們的心思裡面築起「堅固的營壘」。堅固的營壘，意指我們心裡經由某種特定的思考方式而產生的捆綁所在（禁錮之處）。

使徒保羅在這段經文裡說到，我們握有攻破撒但營壘所需的兵器。稍後我們對於這些兵器會有更多的學習，但現在請再確認一次，以充分了解我們已進入的爭戰——靈的層面的爭戰。其中，第5節更清楚地指出引發這場戰事的戰場所在。

根據擴大版聖經（Amplified Bible）的翻譯，這段經文指出我們要拿起這些兵器來駁斥爭論。與我們爭論的就是魔鬼；牠提供我們各樣的理論學說和理性，而這一切的活動都在心思裡面進行。心思就是一個戰場。

情勢總論

至此，我們將已知的歸納如下：

一、我們涉及一場戰爭。
二、我們的仇敵是撒但。

三、心思就是一個戰場。

四、魔鬼持續不斷地在我們的心思裡面築起堅固的營壘。

五、牠一貫的手法是策略和欺騙（透過周詳的計畫和巧妙的計謀）。

六、牠一點也不趕時間；從容不迫地進行牠的計畫。

讓我們透過一個故事，更清楚地檢視牠的計畫。

瑪麗這一方

瑪麗和約翰的婚姻並不幸福，他們之間永遠存在著一種敵對關係。兩人都充滿憤怒、苦毒和不滿的情緒。他們的兩個孩子深受家庭問題之害，在學校課業和行為舉止上都呈現出負面的影響。其中一個孩子更因精神緊張而得了胃病。

瑪麗的問題是，她不知該如何做，才能讓約翰成為家中作主的人。她要掌控大權、抓住每件事的決定權、掌握家中的經濟權和孩子的管教權。她要外出工作以保有「自己的」經濟能力。她獨立、頤指氣使、說話高分貝而且喋喋不休。

看到這裡，你也許正在想：「我知道解決的辦法。她需要認識耶穌。」

她已經認識耶穌了！早在五年前，瑪麗就已接受耶穌成為她個人的救主——就在她婚後的第三年。

「你是說，在接受耶穌成為她的救主後，瑪麗的生命沒有改變？」

有的，是有改變。即使她的惡行惡狀致使她持續活在罪惡感中，她仍然相信自己可以進天國。她現在有了盼望。在遇見

耶穌以前，她陷入悲哀與絕望中；如今她的處境僅止於可悲。

瑪麗知道她的態度是錯的，她希望能夠有所改變。她已經接受過兩個人的輔導，也幾乎在每一次的禱告中祈求從憤怒、悖逆、不饒恕、不滿和苦毒中得勝。為什麼卻不見改善？

答案就在羅馬書十二章2節：

「不要效法這個世界，只要心意更新而變化，叫你們
察驗何為神的善良、純全、可喜悅的旨意。」

瑪麗心中有著盤據多年的堅固營壘，她甚至不明白那是從何而來的。她知道她不應該悖逆、頤指氣使、喋喋不休等等，卻不知道該如何對付自己的天性。如此看來，她似乎只是在某些狀況下才會有不恰當的反應，因為她控制不了自己的行為。

導致瑪麗行為失控的因素，是因為她不去控制好她的思想。而她無法控制思想的原因，在於她心中的堅固營壘是魔鬼在其早年的生命中就已一磚一瓦砌好的。

撒但在我們仍年幼時就開始進行牠周詳的計畫，並且佈下騙局。就瑪麗的案例而言，她的問題根源可追溯至童年。

瑪麗有一位極度強勢的父親，她在小時候常遭到打屁股的處罰，卻只是因為他心情不好。她若是做錯一件事，他更是怒不可遏。父親長期用錯誤方式對待她和她的母親，使她陷入絕望。他一意孤行，對妻子和女兒沒有絲毫的尊重。然而瑪麗的弟弟卻是永遠不犯錯的，這顯然是父親重男輕女的觀念使然。

當瑪麗十六歲時，已遭撒但經年累月的洗腦，牠的謊言大致如下：「男人大多自以為是。他們全是一丘之貉，不值得信任。他們只會傷害你，佔你的便宜。身為男人有天賦的權利，

可以為所欲為。他可以大搖大擺地發號施令，大權在握，隨他的心情任意待人，任誰（尤其是妻子與女兒）都無可奈何。」

結果是，瑪麗下定決心：「一旦我脫離這裡，決不再容許任何人來支使我！」撒但已在她心思的戰場裡挑起了戰火。

牠在你的腦海裡，反覆千百遍地翻騰這些想法，或者是讓其潛伏十年之久。牠要等著看你一旦步入婚姻，是否能成為甜美順服的賢內助。即使在某些奇妙的化學作用下，你應該會想成為那樣的妻子，但卻無從做起。這正是今日瑪麗在自己身上所發現的混亂。她該怎麼做？在這種情況下，我們該怎麼辦？

神話語的兵器

「你們若常常遵守我的道，就真是我的門徒；你們必曉得真理，真理必叫你們得以自由。」（約翰福音八章 31 ～ 32 節）

耶穌在這裡告訴我們如何勝過撒但的謊言。在我們裡面一定要對神的真理有所認知，用祂的話更新我們的心思意念，拿出哥林多後書十章 4 ～ 5 節的兵器來拆毀仇敵的堅固營壘，以及一切攔阻人認識神的自高之事。

這些兵器就是神的話，透過講道、教導、屬靈書籍、錄音帶、特會以及個人靈修時所領受而來的。但我們必須（持續地）「住在」神的話裡，直到話語因聖靈在我們心裡工作而成為我們的啟示。持守是很重要的。耶穌在馬可福音四章 24 節裡說：「你們用什麼量器量給人，也必用什麼量器量給你們，並且要多給你們。」我再重複一次，我們一定要持續使用神的

話語做為兵器。

　　另有兩樣對我們大有功效的屬靈兵器，就是讚美和禱告。讚美擊退魔鬼的速度遠勝過任何戰術，但必須是發自內心真誠的讚美，絕不能僅是言不由衷的辭令，或試驗它是否為有效的手段而已。同樣地，讚美與禱告也離不開話語的範圍。我們根據神的話語而以祂的美善來讚美神。

　　禱告是與神建立關係。是到祂面前祈求幫助，或者是把困擾我們的事告訴祂。

　　如果你想擁有大有功效的禱告生活，就要與天父建立良好的個人關係。因著知道祂愛你，並且滿有憐憫，祂必定幫助你。要認識耶穌，祂是你的朋友，為你捨命。要認識聖靈，祂一直以幫助者的姿態與你同在，讓祂來幫助你。

　　學習在你的禱告中充滿神的話語。神的話語和我們的需要是促使我們來到祂面前的原動力。

　　所以，我們的兵器就是多方運用神的話語。在哥林多後書，保羅說，我們的兵器不是屬肉體（血氣）的；是屬靈的。我們需要屬靈的兵器，因為我們是與掌權的靈交戰，是的，連魔鬼本身也是如此。耶穌在曠野裡受試探時，也是用神的話作為兵器勝過魔鬼的（參考路加福音四章1～13節）。每一次魔鬼欺騙祂時，耶穌都回答：「經上記著說。」然後向牠引用一段神的話。

　　當瑪麗學會使用她的兵器後，就能開始攻破已在她心中築起的堅固營壘，她會認識使她得自由的真理。她會明白，不是所有的男人都與她地上的父親一樣。有些男人的確是一樣，但絕大部分的人並非如此。她的丈夫約翰就不是這一類型的人。約翰是深愛著瑪麗的。

約翰這一方

　　故事的另一個主角是約翰。他也有他的問題，這與他和瑪麗在婚姻和家庭上所面臨的處境不無關係。

　　約翰應該是一家之主。神的計畫是，要讓他成為家中的祭司。約翰已經重生得救，他也知道家庭生活應有的合理次序。他知道他不應該放任妻子把持家務和經濟大權，也不該讓她掌控孩子和他自己。這些他都懂，但他卻不做任何處置，只是任由挫敗感擄掠他，轉而退縮到電視和運動上。

　　約翰只是在逃避責任，因為他痛恨對立。他情願採取被動的姿態：「如果我撒手不管，情況也許會自行好轉。」或者，他會為了未能採取實際行動而自我開脫地說：「我會為這事禱告的。」禱告固然是好，但若單單是為了規避責任就另當別論了。

　　約翰在家中應該站在神所預定的位置上。讓我說得更清楚一點，我的意思並不是說他該像個大男人主義者，不可一世地大張權威旗幟。以弗所書五章 25 節教導丈夫要愛妻子，如同基督愛教會一樣。約翰需要負起責任來，而權柄來自於責任。他對妻子應該要有所堅持——愛她卻不失堅持。他應該向瑪麗提出保證，她雖在孩提時代受到傷害，但當她相信神，完全把自己交託給祂時，她會得到信心，相信並非所有男人都像她的父親一樣。

　　約翰該做的事有許多，但就像瑪麗一樣，他也有心結，如同向著魔鬼敞開大門，迎接牠長驅直入來擄掠他。在約翰的心思裡面也有一場硬仗要打。與瑪麗相仿，他在童年時曾遭受許

多言語上的傷害。他的母親盛氣凌人且言詞尖銳，經常以言語向他施暴，諸如：「約翰，你真是一團糟；你永遠一事無成。」

約翰努力取悅他的母親，因為他渴望得到她的肯定（就和所有的孩子一樣）；但他愈是努力，愈是錯誤連連。他的手腳原本就有些笨拙，再加上母親總是說他笨手笨腳的。他愈是千方百計討好母親，便愈是神經緊張。當然，一緊張手上的工作就常常失誤，所以他要做的事總是功敗垂成。

他在交朋友的過程中也曾慘遭滑鐵盧，有過一些不幸的經歷。這樣的事偶爾也會發生在我們的生命中，但對約翰而言卻是沉重的打擊，因為他已經承受了從母親而來的拒絕。

他在高中早期時，曾邂逅一個令他十分心儀的女孩，而她也拒絕他，投向另一個男孩的懷抱。這些過往的點滴在約翰的生命中堆積到一個地步，魔鬼就開始進行工作，年復一年地在他的意識裡築起堅固的營壘。約翰就是缺乏成就任何事的勇氣，只是沉默、害羞而退縮。

約翰是低調型的人物，他的選擇向來只有一個，就是不動聲色。多年來，他所抱持的想法一直是這樣：「告訴別人你的想法是沒有意義的；他們不會想聽的。你想要得到人的認可，只需照他們的要求去做就好了。」

有幾次他試圖在某個議題上站穩立場，但似乎總是以挫敗收場。最後，他便得到一個結論：為這樣的對立付出努力的代價是不值得的。

「反正到頭來我還是會失敗，」他自我推論：「所以何必開始呢？」

答案是什麼？

「主的靈在我身上，因為祂用膏膏我，叫我傳福音給貧
窮的人；差遣我報告：被擄的得釋放，瞎眼的得看見，
叫那受壓制的得自由，報告神悅納人的禧年。」（路加
福音四章 18 ～ 19 節）

在約翰和瑪麗彼此的衝突對立中，不難想像他們的家庭生
活。還記得我說過他們之間的強烈敵意嗎？敵意不見得總是公
開的戰爭。許多時候，敵意是潛伏在家庭中的憤怒，每個人都
知道它的存在，卻沒有人出面處理過。這樣的家庭氣氛糟透
了，但魔鬼卻愛死了。

約翰、瑪麗和他們的孩子將來的遭遇如何？他們能勝過
嗎？他們是基督徒──眼睜睜地看著他們的婚姻失敗、家庭破
碎，豈不蒙羞？雖然如此，事實上，決定權仍在他們手中。約
翰福音八章 31 ～ 32 節是他們抉擇時的關鍵經文。他們如果繼
續讀神的話語，就會明白真理，而將真理付諸行動能使他們得
著自由。但當神向他們揭示真理時，個人就必須面對自己的過
去和真實的自我。

真理總是透過神的話語而啟示；但可悲的是，人不見得能
接受。面對錯誤並且對付錯誤的過程是極為痛苦的。一般而
言，人們會把失當的行為合理化。他們允許過去以及成長的過
程在生命中造成負面的影響。

我們的過去也許解釋了我們痛苦的原因，卻不能成為我們
停留在捆綁中的藉口。

任何人都沒有藉口，因為耶穌總是在等候完成應許的機會，使被擄的得釋放。我們若願意一路與祂同行，祂會帶領我們在任何一個領域中穿越勝利的終點線。

出路

「你們所遇見的試探，無非是人所能受的，神是信實的，必不叫你們受試探過於所能受的；在受試探的時候，總要給你們開一條出路，叫你們能忍受得住。」
（哥林多前書十章 13 節）

我希望你透過這個寓言式的案例能看到，撒但如何利用我們的環境，在我們的生命中築起堅固的營壘，牠又如何在我們的意念裡挑起戰端。但感謝神，我們有攻破堅固營壘的兵器。神總不離棄我們，而使我們陷入無助中。哥林多前書十章 13 節應許我們，神不會將過於我們所能負荷的試探臨到我們，而且在每一次的試探中，祂都會指示我們離開和逃脫的路。

任何一個人都有可能是瑪麗或約翰。我確信，大多數的人或多或少都與他們有些雷同之處。他們的問題來自內在的想法和心態，而外顯的行事為人，不過是內在生命所結出的果子。撒但知道，若牠能控制我們的心思意念，就能控制我們的行動。

你的生命中，也許有些主要的堅固營壘需要被攻破。讓我用一句話鼓勵你：「神與你站在同一陣線上。」爭戰已經開始了，你的心思就是戰場。但好消息是，神站在你這一方為你而戰。

2 攸關生死的需要

因為他心怎樣思量，他為人就是怎樣……。

（箴言廿三章7節）

單是這一節經文，就足以讓我們知道正確的思考有多麼重要。思想是有權勢的，根據箴言作者的看法，思想是有創造力的。我們的思想若能影響我們的為人，那麼正確的想法當然是首要的先決條件。

我要你銘記在心：讓你的想法與神的話發出一致的頻率，是絕對必要的。

你絕不可能在積極正面的生命中懷有消極負面的心志。

肉體意念與屬靈意念的對決

「因為隨從肉體的人體貼肉體的事，隨從聖靈的人體貼聖靈的事。」（羅馬書八章5節）

羅馬書第八章教導我們，我們若體貼肉體的事，就會隨著肉體行事；但我們若體貼聖靈的事，就會隨從聖靈行事。

讓我換一個方式說：倘若我們滿腦子充斥著肉體的想法、錯誤的想法和負面的想法，就無法在聖靈中行事。如此看來，已經更新的、與神一樣的思考方式，是活出成功基督徒生命不

可或缺的先決條件。

　　有些時候，我們渾然不知要留意某些事的重要性，因此就
會怠惰。但當我們明白置之不理會釀成大禍時，就會因著了解
其嚴重性而嚴陣以待。

　　舉例而言，倘若銀行致電告訴你，你的戶頭透支了八萬五
千元，你一定會馬上找出問題。也許經過一番查證後你會發
現，原來是漏了一筆該存進去的錢。你會馬上到銀行存錢，免
得衍生出其他的問題。

　　希望你能考慮以同樣的態度，來面對心思意念的更新。

　　你的生命可能因為多年的錯誤思想而處於混亂的狀態。果
真如此，你要抓住一個事實：扭轉你的生命之前要先扭轉你的
思想，這對你非常重要，你應該視之為攸關生死的需要之一。
因此，要鄭重其事地拆毀撒但建立在你心思意念中的堅固營
壘，並善用神的話語、讚美和禱告成為你的兵器。

靠著聖靈

　　「萬軍之耶和華說：『不是倚靠勢力，不是倚靠才
　　能，乃是倚靠我的靈方能成事。』」(撒迦利亞書四章
　　6節)

　　得自由的最佳助力，就是祈求神大力的幫助以及不住地祈
求。

　　你的兵器之一是禱告（祈求）。你無法光靠決心就可以勝
過。你的確需要決心，是在聖靈中的決心，而非靠肉體努力的

決心。聖靈是你的幫助者，要尋求祂的幫助並倚靠祂。你無法獨自完成的。

攸關生死之需

對信徒而言，正確的想法是攸關生死之需。所謂攸關生死之需，是指一個人賴以存活不可或缺的重要因素，像是心跳、血壓。有些東西是少不了的，沒有它就沒有生命。

多年前，神要我透過禱告和祂的話語，與祂建立一對一的關係，祂將這個真理銘刻在我生命中。為了這麼做，我經歷了一段自我約束的痛苦期，直到祂向我顯明這是攸關生死之需。正如我肉體的生命需要仰賴維生的系統，我的屬靈生命也需要倚靠與神有固定美好的交通時間來維持。我一得知與祂交通是攸關生死之事，就即刻將這事提升到我生命中的第一優先順位。

同樣地，一旦我明瞭正確的思考是得勝生活中攸關生死的關鍵時，我對自己的思考內容便更加詳細察驗，並且謹慎篩選自己的想法。

你的思量如何，為人亦如何

「你們或以為樹好，果子也好；樹壞，果子也壞，因為看果子就可以知道樹。」（馬太福音十二章 33 節）

聖經說，看果子就可以知道樹的狀況。

我們的生命亦然。抱持好的想法，生命就會結出好的果

子；抱持壞的想法，生命就會結出壞的果子來。

　　事實上，可以從一個人的態度上看出他生命中的想法。一個親切體貼的人不會有殘忍報復的想法。反之亦然，一個全然邪惡的人不會有良善仁愛的想法。

　　謹記箴言廿三章7節，讓它不斷激勵你的生命：因為你的心怎樣思量，為人就是怎樣。

3 千萬別放棄！

我們行善，不可喪志；

若不灰心，到了時候就要收成。

（加拉太書六章9節）

　　無論你的生命光景和心理狀態有多麼糟糕，都別輕言放棄！要收復魔鬼在你生命中所竊取的領土。如果有必要，仍要一分一吋地取回；不是靠你的能力，乃是倚靠神的恩典，才能得到你要的結果。

　　在加拉太書六章9節，使徒保羅激勵我們要繼續堅持下去！不要成為棄權者！不要抱著舊有生命中「輕易放棄」的靈，神所尋找的是一路仰望祂的人。

穿越艱難

「你從水中經過，我必與你同在；你趟過江河，水必不漫過你；你從火中行過，必不被燒，火焰也不著在你身上。」（以賽亞書四十三章2節）

　　在你生命中無論正面對或經歷什麼，我要鼓勵你，穿越一切艱難，千萬別輕言放棄！

　　哈巴谷書三章19節說，要練就母鹿的蹄（牠們能以輕盈的

步伐爬上高山），其方法就是行走（不是在恐懼中裹足不前，而是行走），並且要在不勝寒的高處（艱難、困苦或是責任）還能有所（屬靈）長進！

神幫助我們在屬靈上長進的方式，是與我們同在，堅固並激勵我們在艱難的時刻「繼續堅持下去」。

放棄是很簡單的事，穿越艱難則需要信心。

決定權在你

「我今日呼天喚地向你作見證；我將生死禍福陳明在你面前，所以你要揀選生命，使你和你的後裔都得存活。」（申命記三十章 19 節）

我們在日常生活中，每天都會接觸千千萬萬個想法。我們的心思意念必需更新，才能隨從聖靈而不隨從肉體。屬世的（世俗化的、肉體化的）心思意念一向習於自由運作，因此能輕易地自動接收錯誤的想法。

反之，我們必須刻意選擇正確的想法。在我們終於決定對準神的心意之後，就必須做出選擇，不斷地選擇正確的想法。

當我們開始覺得這種心思的爭戰太艱難、不可能得勝時，一定要將這樣的念頭趕走，選擇必定得勝的想法！我們不僅要選擇必定得勝的想法，還要下決心絕不放棄。在懷疑和恐懼雙重的疲勞轟炸之下，我們要站穩腳步宣告：「我永不放棄！神與我站在同一陣線，祂愛我，祂正在幫助我！」

你我的一生中會有許多選擇的機會。在申命記三十章 19節，神告訴祂的百姓，祂已將生死陳明在他們面前，並且催促

他們選擇生命。箴言十八章21節告訴我們：「生死在舌頭的權下，喜愛它的，必吃它所結的果子。」

我們的想法會成為口中的言語。因此，選擇建造生命的想法是相當重要的。當我們如此做，口中自然吐出正確的言語。

不要放棄！

當爭戰似乎永無止盡，而你認為再也撐不下去時，記住，你所做的，是正在改寫一個十分屬世、十分屬肉體的世俗想法，使它可以與神的意念步調一致。

不可能嗎？可能！

困難嗎？是的！

但你想想看，神若是你的同工。我相信祂是世上最傑出的「程式設計師」（你的心就像是電腦一樣，堆積了一生的垃圾程式在裡面）。你若曾經邀請神來掌管你的想法，祂如今正在你身上動工。祂正在改寫你心思意念的程式。繼續與祂同工，別輕言放棄！

這絕對需要付上時間的代價，也絕非易事，但如果你選擇神的方式來思考，你的方向就對了。你得花些時間在一些事上，但前進的步伐可讓你剩餘的生命不再停留在同樣的混亂中。

轉而得地為業

「耶和華我們的神在何烈山曉諭我們說：『你們在這山上住的日子夠了；要起行，轉到亞摩利人的山地，和靠

近這山地的各處，就是亞拉巴、山地、高原、南地、沿
海一帶迦南人的地，並利巴嫩山，又到伯拉大河。如今
我將這地擺在你們面前，你們要進去得這地，就是耶和
華向你們列祖亞伯拉罕、以撒、雅各起誓，應許賜給他
們和他們後裔為業之地。』」（申命記一章6～8節）

　　在申命記一章2節裡，摩西向以色列人指出，離迦南地
（應許之地）的邊界僅有十一天的路程，但他們卻花了四十年
才到達那地。然後在第6節，摩西告訴他們：「耶和華我們的
神曉諭我們說：你們在這山上住的日子夠了。」

　　你曾經在同一座山上住的日子夠久了嗎？你曾經花四十年
的時間走十一天的路程嗎？

　　我個人的生命歷程，則是走到最後不得不清醒。我領悟到
自己根本是一直在原地打轉，是一個不能獲勝的基督徒。就像
瑪麗和約翰一樣，我有太多經年累月建立起來的錯誤心態及堅
固營壘。魔鬼欺騙了我，而我也相信牠。因此，我一直活在謊
言中。

　　我在同一座山上的日子夠久了。若能早點明白神話語中的
真理，我費了四十年的時間所完成的旅程將會縮短許多。

　　神向我顯明，以色列人停留在曠野裡，是因為他們的「曠
野心境」中某些錯誤的想法導致他們的捆綁。在後面的章節
裡，我們會針對這個主題對付它，但現在容我督促你做一個認
真的決定：你要開始更新心意，學習謹慎篩選你的想法。下定
決心絕不放棄，絕不罷手，直到爭戰完全得勝，使你取得當得
的屬靈產業。

4 循序漸進

耶和華你神必將這些國的民從你面前漸漸趕出；

你不可把他們速速滅盡，

恐怕野地的獸多起來害你。

（申命記七章 22 節）

　　你的心思意念是漸漸改變的。所以，當進度似乎很緩慢時，不要喪志。

　　以色列人即將進入應許之地前，主告訴他們，祂會將仇敵從他們面前漸漸地趕出去，免得「野地的獸」在他們中間繁衍增加。

　　我相信，若在太短的時間內得到太多的釋放，驕傲會成為那隻吃掉我們的「野獸」。事實上，一次單在一個領域裡得釋放是比較好的。如此，我們對於得釋放會有更多的感恩；我們會領悟到這真是從神而來的恩賜，並非憑一己之力就可以達成的。

釋放前的苦楚

「那賜諸般恩典的神，曾在基督裡召你們，得享祂永遠的榮耀；等你們暫受苦難之後，必要親自成全你們，堅固你們，賜力量給你們。」（彼得前書五章 10 節）

　　我們爲什麼要「暫受」苦難？在蒙耶穌拯救之前，我們即是大有問題的人，並且承受了某種苦楚。然而當釋放來臨時，我們的歡喜快樂將遠勝於前。當我們試圖自己努力時，挫敗會使我們明白必須等候祂。當神興起而成就我們靠自己無法完成的事時，我們的心會充滿對祂的感謝與讚美。

不定罪

「如今，那些在基督耶穌裡的就不定罪了。」（羅馬書八章1、4節）

　　當你遇到阻礙或不順利時不需要接受控告，只要稍稍退後，拍落身上的灰塵再重新出發。一個嬰孩在學走路時，總是在享有行走的自信之前摔跤過無數次。然而嬰孩的優勢之一就是，他會在跌倒後大哭一番，但總是很快地站起來再試一次。

　　魔鬼會竭盡所能地阻止你更新心意，牠知道一旦你學會如何選擇正確想法並且拒絕錯誤的思想時，牠對你的控制權就宣告結束。牠會試圖以打擊和定罪的方式來阻止你。

　　當控告來臨時，拿出你「話語的兵器」來抵擋。引用羅馬書八章4節，提醒撒但也提醒你自己，你已是一個行事不隨從肉體、只隨從聖靈的人了。行事隨從肉體取決於你；隨從聖靈則取決於神。

　　當你失敗時（你會經歷的），並不代表你就是一個失敗者，只表示你並非樣樣都對。我們都得接受一個事實，就是即使在滿有力量中，我們仍有軟弱。就讓基督的能力在你的軟弱上顯得剛強；讓祂在你軟弱的日子裡成爲你的力量。

我再重複一次：不要接受定罪。完全的勝利必要到來，但需要時間，因為你的得勝是「循序漸進」的。

別灰心

「我的心哪，你為何憂悶？為何在我裡面煩躁？應當仰望神，因祂笑臉幫助我；我還要稱讚祂。」（詩篇四十二篇 5 節）

灰心摧毀盼望，所以很自然地，魔鬼總是企圖使我們心灰意冷。我們在失去盼望後就會放棄，這正中魔鬼的下懷。聖經不斷告訴我們不要灰心，不要氣餒。神知道我們一旦灰心，就不可能得勝，所以祂總是在我們進行一項計畫時告訴我們：「別灰心。」神希望我們擁有的是信心，而不是灰心。

當沮喪和控告試圖要突破你的心防時，檢視你的思維。你心裡在想些什麼？是否諸如：「我做不到的；這太難了。我總是失敗，每次都是這樣，不會有任何改變的。我確信其他人在心意更新時一定不像我這麼麻煩。不如放棄吧！我已經厭倦嘗試了。神似乎沒聽到我的禱告。祂大概不想回答我的禱告，因為祂對我實在大失所望。」

如果你的想法與這些描述吻合，難怪你會心灰意冷並且活在控告中。記住，你是怎麼想的，就會成為怎樣的人。沮喪的念頭使你心灰意冷，控告的念頭使你被定罪。改變你的思想，得釋放吧！

與其抱持負面的想法，不如這樣想吧：

「好吧,速度是有點慢,但感謝神,我仍在進步中。
我很慶幸自己正走在引導我得真自由的正路上。我昨
天過得很糟,我一整天都選擇了錯誤的想法。
天父,請赦免我,幫助我『繼續堅持』。我犯了一個
錯誤,但至少我不會再犯同樣的錯誤。主,祢愛我。
祢的憐憫每早晨都是新的。
我拒絕灰心,拒絕被定罪。天父,聖經說祢不定我的
罪。祢已差派耶穌來為我捨命。我會康復的,今天將
是美好的一天。祢會幫助我在今天選擇正確的思
想。」

　　我確信你在這種喜樂、積極、與神的想法一致裡,已經可
以感受到勝利的滋味了。

　　我們喜歡所有一蹴可幾的事。我們裡面有忍耐的果子,但
需要顯明出來才有果效。神有時會從容不迫地為我們帶來全備
的救恩,祂使用最難熬的等候來擴張我們的信心,讓忍耐自行
成就其完美的工作(參考雅各書一章4節)。神的時候是完全
的,祂從不會太遲。

　　下面還有一個很好的思想:「我相信神。我相信無論我的
感受或是情況如何,祂都在我身上動工。主在我身上已發動了
善工,祂一定會成全這工。」(參考腓立比書二章13節,一章
6節)

　　這正是你可以有效地使用話語的兵器,來拆毀堅固營壘的
正確態度。我勸你不只是刻意讓自己抱持正確的思想,更要多
走一里路,在你認罪時大聲宣告出來。

　　記住,神正在拯救你——循序漸進地。所以,當你犯錯時

別灰心，別自我控告。
　　對自己要有耐心。

5 積極正面

照你的信心，給你成全了。

（馬太福音八章 13 節）

　　積極正面的想法帶來積極正面的生命；消極負面的想法帶來消極負面的生命。積極正面的想法永遠充滿信心和盼望；消極負面的想法則是充滿懼怕和懷疑。

　　有些人害怕懷有希望，因爲他們曾經在生命中受到太多的傷害。太多失望的經驗，使他們不認爲自己可以再面對又一次的失望。因此，他們認爲只要拒絕盼望就不至於失望了。

　　逃避盼望是一種自我保護免受傷害的典型。失望令人受傷。所以，與其再受一次傷害，許多人選擇拒絕盼望，或是拒絕相信他們生命中會有任何好的遭遇。這種行爲模式建立了消極的生命形態。消極的想法導致一切都變得消極。正如箴言廿三章 7 節所說的：「因爲他心怎樣思量，他爲人就是怎樣。」

　　多年前，我曾經落入極度的消極中。我經常說，若我同時抱持著兩個積極的想法，它們就會像鉗子般一左一右夾住我的心。我自有一套哲學：「倘若你不抱持任何幸福的希望，那麼一旦它沒有發生，就不致失望。」

　　我的生命曾遭遇許多的失望，許多沉重的打擊一一臨到我，使我害怕去相信任何美好之事發生的可能，我對每件事的看法都是無可救藥的悲觀。因著我所有的想法都是消極的，口

中所說的亦然；當然，我的人生也不例外。

當我真的開始讀神的話語，並且相信神要恢復我生命中應有的樣式時，第一個覺悟就是所有消極悲觀的想法必須被驅除出境。

耶穌在馬太福音八章13節告訴我們，只要相信，事情就能成就。聖經上說：「照你的信心，給你成全了。」我若相信每件事都是負面的，自然就會有許多負面的事發生在我身上。

這並不是說，你我可以單單用想的就得到任何想要的東西。神對每個人都有一份完美的計畫，我們不可能用思想或是言語來左右祂。但我們所想、所說的，必須符合祂對我們的旨意和計畫。

如果現階段你對神的旨意一無所知，至少可以用這樣的想法作為開始：「我雖不知神的計畫，但我知道祂愛我。祂所做的都是為我好，我一定會得到祝福。」

開始用積極樂觀的想法來看待你的生命。

自我操練以積極的態度面對每一個狀況。即使處在生命的谷底，無論發生什麼事，都能期待神可以扭轉乾坤，如同祂在其話語裡所應許的。

萬事都互相效力

「我們曉得萬事都互相效力，叫愛神的人得益處，就是按祂旨意被召的人。」（羅馬書八章 28 節）

這段經文並沒有說萬事都是好的，但它確實說萬事互相效力，能得益處。

比如說你計畫去購物，上了車卻發現車子發不動。面對這種情況你有兩個選擇，你可以說：「我就知道！平常都好好的，每次只要我想做點什麼，它就會出狀況。這趟路十之八九是去不成了；我總是這麼倒霉。」或者你也可以說：「我想出門購物，但看來現在是去不成了。我可以等車修好後晚一點再去，而且，我相信這一點點的改變是對我有益的，或許有什麼原因使我今天必須要留在家裡，我就高高興興地留在家裡吧。」

使徒保羅在羅馬書十二章 16 節告訴我們，要隨時自我調適，預備自己在各樣的事中得以應變。這個觀念是要我們學習，成為預先計畫的人，但計畫未能實行也毋須氣餒。

最近，我得到一個絕佳的機會實踐這項原則。外子戴夫（Dave）和我在佛羅里達州的沃斯湖（Lake Worth）有整整三天的服事，結束後我們就收拾行李準備往機場搭機打道回府。我計畫穿襯衫配寬鬆的長褲，腳上再搭一雙便鞋，就可在回程中一路輕鬆愉快。

我開始換衣服，卻找不到我的長褲。我們找遍了各個角落，最後在衣櫃底層找到它。原來它從衣架上滑落，已經皺得像梅乾菜一樣了。我們隨身帶了一個小型的蒸氣熨斗，我試著想把褲子熨平，但穿上後怎麼看都不對勁。最後我只有一個選擇，就是穿洋裝配高跟鞋。

我可以感覺到，我的情緒正隨著突如其來的狀況而沮喪起來。你瞧，只要一不如意，我們的感覺就會侵襲上來，企圖讓我們陷入自憐自艾的消極態度裡。我立即意識到我是可以有選擇的。我可以因為事情不如我意就惱怒，或者，也可以在突發狀況中自我調整，就順其自然高高興興地出發。

即使一個真正想法積極的人，也不盡然永遠都順順利利的。但積極的人可以繼續往前行，並且決定在任何狀況中都能自得其樂；而消極的人對任何事都提不起勁來。

與消極的人相處簡直是毫無樂趣可言。這樣的人因著每一個計畫而蒙上愁雲慘霧，身上散發著沉重的氣息，而且總是抱怨、不滿、找錯誤。無論有多少美好的事發生，這樣的人似乎永遠定睛在可能隱藏著潛伏性問題的某件事上。

在過去消極的日子裡，若我走進一戶全新裝潢的房子，置身在一屋子怡人的環境中，我卻可以對之視而不見，但牆角一點鬆脫的壁紙或是窗戶上的一點污漬卻逃不過我的視線。我現在真慶幸耶穌釋放了我，使我可以享受到生命中的美好。我完全相信，只要擁有在祂裡面的信心並存著盼望，再大的不幸也能扭轉成為美事。

如果你是一個消極的人，不要覺得被定罪！定罪是負面的。我分享這些事的用意，是要讓你看見問題的癥結在於消極，並要開始相信神會拯救你，而不是讓你因消極而沮喪。

當我們不再為問題找藉口而直接面對它時，自由之路就在我們眼前展開。倘若你是一個消極的人，我確信一定有什麼原因使你如此。但身為基督徒，要記住聖經上說，如今你已是新造的人了。

新的日子！

「若有人在基督裡，他就是新造的人，舊事已過，都變成新的了。」（哥林多後書五章 17 節）

　　身為一個「新造的人」，你毋須容許過去的遭遇繼續影響在基督裡的新生命。你是一個在基督裡有新生命的新人，可以讓你的心意更新在神的話語裡。美好事將發生在你身上。

　　要歡喜快樂！這是新的日子！

聖靈的工作

「然而我將真情告訴你們，我去是與你們有益的；我若不去，保惠師就不到你們這裡來，我若去，就差祂來。祂既來了，就要叫世人為罪，為義，為審判，自己責備自己。」（約翰福音十六章 7 ～ 8 節）

　　從消極中得釋放最難的部分，是面對事實並且說：「我是一個消極的人，我要改變。我不能改變自己，但我相信當我信靠神時，祂就可以改變我。我知道這需要時間，我絕不會對自己灰心。神已經開始在我心裡動了善工，祂必要成全這工。」（參考腓立比書一章 6 節）

　　祈求聖靈每當你開始消極時就責備你，那是祂工作的一部分。約翰福音十六章 7 ～ 8 節教導我們，聖靈會為罪、為義讓我們自己責備自己。當責備來臨時，求神幫助你。不要以為可以自行處理，要倚靠祂。

　　雖然我曾經十分消極，神卻讓我知道，若我相信祂，祂就會讓我成為非常積極的人。我曾為了維持積極造就的心態而陷入苦戰。現在的我，則是無法忍受消極的人。就像一個抽菸的人，通常在戒菸之後就無法再接受香菸一樣。我的情況就是這樣。我有很多年的菸齡，但在戒掉菸癮之後，我連聞到菸味都

覺得無法忍受。

在消極的這件事上亦然。我曾經是一個十分消極的人，現在的我卻絲毫不能容忍消極，幾乎可說到惱怒的程度。我想是因為自從得釋放後，我看到生命中那麼多美好的改變，所以如今的我反對任何消極的事。

我面對現實，所以我要鼓勵你跟我一樣。如果你生病了，別說：「我沒病。」因為那並非事實；但你可以說：「我相信神正在醫治我。」你不必說：「我的病情可能會惡化，最後一定是住院。」相反地，你可以說：「神醫治的能力現在就運行在我身上；我相信我會好起來。」

每件事都必須平衡。意思並不是說用一點點的積極來調和你的消極，而是指要「預備心」迎接任何發生在你身上的事，無論它是正面或是負面的。

預備心

「這地方的人賢於帖撒羅尼迦的人，甘心領受這道，天天考查聖經，要曉得這道是與不是。」（使徒行傳十七章 11 節）

聖經說，我們要有預備的心。這意思是，我們對神向我們所懷的旨意要有敞開的心，無論這旨意為何。

舉個例子，我所認識的一名年輕女士最近經歷了解除婚約的痛苦。她和那位年輕人雖然已決定不結婚，但仍禱告詢問主是否允許他們繼續交往。這位年輕女士希望能再續情緣，她思念著、盼望著，也相信她的前未婚夫會打電話來，並且與她有

相同的感受。

我建議她抱著一顆「預備的心」，以免事情的發展並非如其所望。她說：「這樣不是太消極了嗎？」

不，並非如此。

消極的人會想：「我的一生都完了；再也不會有人要我了。我失敗了，從今以後我必定……」

積極的想法是這樣：「發生這樣的事真的令我很難過，但我要相信神。我希望我的男朋友可以繼續和我交往。我要尋求神，並且相信我們的關係可以恢復；但我要神完全的旨意，遠勝過一切。事情如果不能照我的意思發展，我仍能存活，因為耶穌住在我裡面。也許會有一段痛苦的時間，但我相信主。我相信至終將有最美好的結局。」

這就是面對事實，有預備的心卻仍然積極。

這就是平衡。

盼望的威力

「他在無可指望的時候，因信仍有指望，就得以作多國的父，正如先前所說：『你的後裔將要如此。』他將近百歲的時候，雖然想到自己的身體如同已死，撒拉的生育已經斷絕，他的信心還是不軟弱；並且仰望神的應許，總沒有因不信心裡起疑惑，反倒因信，心裡得堅固，將榮耀歸給神。」（羅馬書四章 18 ～ 20 節）

我丈夫戴夫和我都相信，我們在基督肢體裡的事奉每年都會有所成長。我們總是希望能幫助更多的人，但我們也明白：

如果神有不同的計畫，或者到年終時我們毫無成長（每年的開始都是一樣的），我們不能讓這種情況轄制我們的喜樂。

有許多事是我們所相信的，但在這些事之上，我們相信的是某一位。這一位就是耶穌。我們並不盡然知道未來將要發生的事，我們只知道萬事的結果都於我們有益。

愈是積極，愈能跟得上神的帶領。神絕對是積極的，若要跟得上祂，就必須積極。

你的處境也許真的相當不利。你也許正想著：「如果你知道我的處境，別說歡喜快樂了，你對我連積極的指望都不會有的。」

我鼓勵你再讀羅馬書四章18～20節，裡面提到亞伯拉罕在評估過他的處境後（他並未忽略事實），想到（短暫的思考）自己的身體如同已死，撒拉的生育已經斷絕。儘管所有人的理性盼望都已斷絕，他仍在信心中存有指望。

亞伯拉罕在十分消極的處境中十分積極。

希伯來書六章19節告訴我們，這樣的指望如同靈魂的錨。**盼望是我們在試煉中保持穩固的力量**。別停止盼望。失去了盼望，你將會繼續悲慘的命運。假如你因為失去盼望而有悲慘的命運，開始懷抱盼望吧！不要害怕。我不能保證事情一定會如你所願。也不能保證你再也不會失望，但即使在失望的時刻（若果真如此），你仍然可以盼望且懷抱積極的態度。把你自己放在神創造神蹟的國度裡。

期待你生命中的神蹟。

期待美好的事！

期待得著！得著期待！

「耶和華必然等候，要施恩給你們；必然興起，好憐憫你們。因為耶和華是公平的神，凡等候祂的都是有福的！」（以賽亞書三十章18節）

這段話成為我最喜愛的經節之一。倘若你默想這些話，它們就會為你帶來極大的盼望。神說祂在尋找可施恩（好處）的人，但這個人不可能是一個有著尖酸態度和消極思想的人。他（或她）必定是一個充滿期待的人（滿心期盼、尋求從神而來的好處）。

邪惡的不祥預感

什麼是「邪惡的不祥預感」？

就在我開始研讀神的話語不久之後，一天早上，我正在浴室裡梳頭髮，卻突然意識到環繞著我的氣氛是一股曖昧又威脅性十足，彷彿有什麼不幸的事要發生的不祥感。我愈來愈肯定，其實這樣的感覺大多時候都一直與我形影不離。

我問主：「我經常有的這種感覺是什麼？」

「邪惡的不祥預感。」祂回答。

我不知道那是什麼意思，也沒聽過這種說法。但這事過後不久，我發現箴言十五章15節有段經文：「困苦人的日子都是愁苦；心中歡暢的，常享豐筵。」

那時我才了解，我生命中大部分的悲情，都是來自邪惡的

思想和不祥的預感。沒錯，我曾經歷十分艱難的處境，但即使當我不在那樣的處境中時，我仍然覺得可悲，因為我的想法會毒化我對事情的展望，剝奪我熱愛生命、享受美福的本能。

禁止舌頭不出惡言！

「因為經上說：『人若愛生命，願享美福，須要禁止舌頭，不出惡言，嘴唇不說詭詐的話。』」（彼得前書三章10節）

這段經文平舖直敘地告訴我們，熱愛生命、享受美福與積極造就的心、積極造就的言語是息息相關的。

無論你有多麼消極，或已經消極了多長的一段時間，我知道你能改變，因為我做到了。我付上時間的代價，並且累積無數次聖靈的幫助，但這一切是值得的。

對你而言也絕對值得。

無論發生任何事，相信主並且要積極！

6 捆綁心思的靈

應當一無掛慮，只要凡事藉著禱告、祈求和感謝，

將你們所要的告訴神；神所賜、出人意外的平安，

必在基督耶穌裡保守你們的心懷意念。

（腓立比書四章 6～7 節）

在與神同行的途中，我曾經來到一個掙扎點，我的信心在
原先所相信的真理上動搖了。當時我並不明白自己是怎麼回
事，但結果是，我疑惑了。這段困境的時間拖得愈長，我愈迷
惑。不信的心似乎以破竹之勢，在我的心思裡急速地擴張版
圖。我開始質疑自己的呼召；我以為自己失去了神所給我的事
奉異象。我再度陷入慘境（不信總是帶來不幸）。

兩天的混亂中，我聽到從我靈裡出來的一句話：「捆綁心
思的靈。」第一天，我沒有多加思考。然而第二天，當我開始
進入代禱時，我又聽到一次「捆綁心思的靈」，這已經是第四
或第五次的聲音了。

我從自己服事過的人身上得知，為數相當多的信徒有心思
方面的困擾。我認為聖靈正帶領我為基督的肢體禱告，以對抗
被稱為「捆綁心思」的靈。所以我開始作爭戰禱告，奉耶穌的
名迎擊捆綁心思的靈。才幾分鐘的禱告，我就感覺到心思裡極
大的釋放。我只能說這實在是太戲劇化了。

從捆綁心思的靈中得釋放

最近，神所帶給我的每一個釋放都是漸進式的，關乎對於神話語的相信及宣告。約翰福音八章31～32節和詩篇一○七篇20節是我的見證。耶穌在約翰福音八章31～32節裡說：「你們若常常遵守我的道，就真是我的門徒；你們必曉得真理，真理必叫你們得以自由。」在詩篇一○七篇20節，主說：「祂發命醫治他們，救他們脫離死亡。」

但這一次，我是立刻感受到改變，我知道在我的心思裡產生了一些變化。短短幾分鐘的禱告之後，我對於得釋放之前所掙扎的疑點，已經不再感到困惑了。

我舉個例子。在我遭受捆綁心思的邪靈攻擊之前，我相信根據神的話語，我只是一個藉藉無名、來自密蘇里州芬頓鎮（Fenton）的平凡女子，這樣的事實對我的生命和事奉並不具任何影響力（參考加拉太書三章28節）。然而一旦神預備好，祂便敞開無人能關的門（參考啟示錄三章8節），我會到世界各處去傳遞祂所賜給我的、關乎釋放且實際可行的信息。

我相信我有權柄（不是因為我個人的因素，而是即使像我這樣的人），可以透過收音機向全國分享福音。我知道，根據聖經，神揀選了軟弱愚拙的，使有智慧的羞愧（參考哥林多前書一章27節）。我相信神要使用我醫治生病的人，我相信我們的孩子會走上事奉的路。我也相信神放在我心中一切奇妙的事。

然而，捆綁心思的靈攻擊我，我似乎再也無法有那麼多的相信。我當時是這麼想的：「這些事大概都是我自己捏造出來

的。我會相信，是因爲我想那麼做，但那樣的事也許永遠也不會發生。」然而，所有的邪靈一離開，相信的力量隨即湧回。

決定（選擇）相信

「況且，我們的軟弱有聖靈幫助。我們本不曉得當怎樣禱告，只是聖靈親自用說不出來的歎息替我們禱告。」

（羅馬書八章 26 節）

　　身爲基督徒，我們需要學會選擇相信。神經常賞賜信心（聖靈的產物），來對抗一些在我們的心思裡似乎是無法永遠認同的事。我們的理智要求了解所有的事———一切事的爲何、何時以及如何。當這些了解不是從神而來時，我們的心思通常會拒絕相信超乎所能理解的事。

　　信主的人經常是在理性上（他的內在）知道，而在理智裡卻掀起一場大戰。

　　我在許久以前就已決定要相信神的話語，還有神所給我「瑞瑪」（*rhema*，神所默示的話，亦即當下神對我所說的事或祂對我個人的應許），即使我無法理解它會何時、如何以及爲何發生在我的生命中。

　　但這次我所爭戰之事則有所不同；它超乎抉擇。我被這些捆綁心思的靈所轄制，就是無法回到原本的相信中。

　　感謝神透過聖靈向我顯明如何禱告，即使在我禱告開始時並不知道是在爲自己禱告，祂的權能仍大力地運行。

　　我相信，你現在正閱讀這本書是出於神的帶領。或許，你在這個領域裡也遭遇到相同的問題。若果如此，我要鼓勵你奉

耶穌基督的名禱告。藉著寶血的大能來對抗「捆綁心思的靈」。這樣的禱告方式不僅用在這一次，也適用於任何在此領域經歷到困難的時候。

魔鬼向我們所發射的猛烈火箭從未在我們試圖往前進的時候彈盡援絕。舉起你信德（信心）的藤牌（盾牌），記住雅各書一章 2 ～ 8 節教導我們的：我們可以在試煉中向神祈求智慧，祂就會賞賜給我們，並且指示我們當如何行。

我的問題在於我從未對抗過那些猛烈的火箭，但神教導我如何作爭戰的禱告，我因此得著了釋放。

你也能得釋放。

7 留意你的心思

我要默想祢的訓詞，看重祢的道路。

（詩篇一一九篇 15 節）

神的話語教導我們應當思考的事為何。

詩篇的作者說，他所思考或默想的是神的訓詞。意即他花費許多時間思索、考量神的道，包括祂的指示和教導。詩篇一篇 3 節說：這樣行的人「要像一棵樹栽在溪水旁，按時候結果子，葉子也不枯乾；凡他所作的盡都順利」。

思想神的話令人受惠極深。愈是默想神的話語，在話語上的收成就愈豐盛。

謹慎你所思！

「你們所聽的要留心。你們用什麼量器量給人，也必用什麼量器量給你們，並且要多給你們。」（馬可福音四章 24 節）

多麼棒的一段經文！它告訴我們，花愈多時間思考所讀到和聽到的話語，就會獲得愈多將相關知識行出來的權能。基本上它是說，我們在神話語上所下的是什麼功夫，所得亦然。

特別注意其中的應許：我們投注在神話語上思考和研究的

程度，是我們從中獲得多少美德與知識的決定因素。

　　根據威氏聖經字辭註解辭典（Vine's Expository Dictionary of Biblical Words）上的說法，英王欽定本（King James Version）在某些特定的經節中把希臘文的 *dunamis*，也就是「權能」（power）的意思，翻譯成「美德」（virtue）。[1] 根據史氏最新聖經字辭檢索（Strong's New Exhaustive Concordance of the Bible），*dunamis* 的另一個翻譯是「能力」（ability）。[2] 大部分的人都不太深入鑽研神的話語。結果是，他們對於自己為何不能成為活在得勝生活中的大能基督徒感到困惑。

　　事實是，他們多半不太留心在話語上的研究。他們也許會在外面聽取一些人的教導和佈道，也許會聽一些講道的錄音帶，偶爾看看聖經，但並沒有認真地讓神的話語成為生命中的絕大部分，也沒有花時間來默想它。

　　肉體基本上是懶散的，許多人都想不勞而獲（不靠自己的努力），然而這是行不通的。我要再次大聲疾呼，一個願意在神話語上投注心力的人，他種的是什麼，收的就是什麼。

默想神的話語

「不從惡人的計謀，不站罪人的道路，不坐褻慢人的座位；惟喜愛耶和華的律法，晝夜思想，這人便為有福！」（詩篇一篇 1～2 節）

　　根據韋氏大字典（Webster）的解釋，「默想」（meditate）這個詞的意思是：「深入思考；沉思；心裡的計畫或意圖……深思熟慮。」[3] 威氏聖經字辭註解辭典上說，「默想」意即「……

根本的，『關心』……『留心，反覆演練』……『專心』……反覆練習是一般人對這個字的普遍認同……『沉思，想像』……『預先考慮』」⁴。

箴言四章20節說：「我兒，要留心聽我的言詞，側耳聽我的話語。」若是把箴言四章20節和這些有關「默想」的定義放在一起，就能明白，透過在心思意念裡默想、思索、深思熟慮和反覆演練才能留心神的話語。它的基本概念是：我們若想按神所說的去行，就必須付上時間的代價去思考祂的話。

還記得俗語說「熟能生巧」嗎？在現實生活中，若沒有充分的練習就不能指望成為某方面的專家，基督徒生活豈不是同理可證呢？

默想帶來成功

「這律法書不可離開你的口，總要晝夜思想，好使你謹守遵行這書上所寫的一切話。如此，你的道路就可以亨通，凡事順利。」（約書亞書一章 8 節）

你若想在所經手的一切事上順利亨通，聖經說你要晝夜思想神的話語。

你究竟花多少時間來思考神的話？倘若你生命中的任一領域出現了障礙，對這個問題據實回答就能揭露起因為何了。

在我過往的生命中，大部分的日子裡，我對於心中的思緒都漫不經心。腦海中閃過什麼念頭，就想什麼。然而撒但會將想法投射在我的意念裡，我對此一無所知。我的腦海中若非出於撒但的謊言，就是一些荒誕無稽的念頭——一些的確不值得

我花時間思考的事。魔鬼控制了我的生命，因為牠先控制了我的心思。

留意你的心思

「我們從前也都在他們中間，放縱肉體的私慾，隨著肉體和心中所喜好的去行。」（以弗所書二章3節）

保羅在這裡警告我們，不能受制於敗壞和以感官為導向的天性，以致放縱肉體的私慾和心思。

雖然我早已是基督徒，卻因為沒有學會掌控我的心思而問題重重。我所想的，盡是一些使我心思忙碌卻沒有任何建設性的事。

我需要改變我的思想！

當神開始教導我有關心思的戰場時，祂告訴我一件事，成為我生命裡重大的轉捩點。祂說：「想想你所想的是什麼。」當我開始照著做時，不久後我就漸漸明白自己的生命何以會如此狀況不斷。

過去的我，心思意念簡直是一團亂麻！

我滿腦子都是錯誤的心思。

我上教會做禮拜，並且行之多年，卻從未認真思考我所聽見的信息。可以說是左耳進，右耳出。我每天都讀一點聖經，卻從未思考我所讀的經文。我根本不留心神的話語。對於我所聽見的信息，既不假思索也不加以研究。所以，當然也沒有美德和知識方面的得著。

默想神的工作

「神啊，我們在祢的殿中想念祢的慈愛。」（詩篇四十八篇9節）

詩人大衛經常談論默想主的一切奇妙工作，和神的大能作為。他說他思念主的名，神的憐憫，還有其他許多諸如此類的事。

當我們沮喪時，就讀讀詩篇一四三篇4～5節：「所以，我的靈在我裡面發昏；我的心在我裡面悽慘。我追想古時之日，思想祢的一切作為，默念祢手的工作。」

經由這段經文，我們看到大衛在沮喪和憂鬱中的回應是，不去思索問題。相反地，他對付問題的方式，是去回想過往的好日子，思想神的一切作為和祂手中的工作。換句話說，他所想的是美好的事，如此一來能幫助他勝過沮喪。

千萬別忘記：你的心思意念在你的得勝上，扮演了很重要的角色。

我們生命中的得勝，是聖靈的大能透過神話語的運行所帶來的。但其中有極大的部分需要我們去完成，要校正我們的心思使其對準神和祂的話語。我們若拒絕這麼做，或認為這是不重要的，就將永遠經歷不到得勝。

心意更新而變化

「不要效法這個世界，只要心意更新而變化，叫你們察

驗，何為神的善良、純全、可喜悅的旨意。」（羅馬書
十二章2節）

　　使徒保羅在這段經文裡所說的是，我們若想看見神的善
良、純全和更新，就可以看見。更新成什麼呢？更新成為用神
的方式來思考。在這種更新思維的過程中，我們會被改變，或
是轉變為神所企盼的樣式。耶穌的更新是透過祂的死和復活。
經由心意更新的過程，生命的蛻變就可以成真。

　　為了避免疑惑，我要再加以說明，這裡所說的正確心思與
救恩無關。救恩單單本於耶穌的寶血，以及祂在十字架上的死
和復活。許多人是可以進天國的，因為他們真正接受耶穌成為
救主，但這些人之中，又有許多人永遠無法行在得勝中，或是
享受神在他們生命中的美好計畫，因為他們沒有根據神的話更
新他們的心思意念。

　　多年以來，我也是其中的一份子。我已經重生，而且一定
會進天國。我到教會聚會，也遵守宗教的儀式，但我的生命真
的一無得勝之處。原因在於，我所思考的是錯誤的事。

這些事你們都要思念

「凡是真實的、可敬的、公義的、清潔的、可愛的、有
美名的，若有什麼德行，若有什麼稱讚，這些事你們都
要思念。」（腓立比書四章8節）

　　聖經上對我們應該思考的事有很詳盡的指示。我確信你從
這些不同的經文中可以看見，我們得到的指示是要思考好的

事，是能建造而非拆毀我們的事。

我們的心思絕對能影響我們的態度和心情。神所告訴我們的每一件事都是於我們有益；祂知道何事令我們快樂，何事會令我們悲傷。一個人若充滿錯謬的心思就會陷入慘境，我從本身的體驗中得知，當一個人陷入悲慘時，通常也不會放過其他人。

你應該編列一張一般性的清單，然後問問自己：「我一直都在想些什麼？」花一點時間來檢視你的心思。

思索你的心思是十分寶貴的，因為撒但經常欺騙人們，誤導他們轉離一切悲劇和困境的實際成因。牠要他們認為，他們之所以不快樂，是由於周圍所發生的事（他們的環境），但事實上，悲劇卻是源於他們內在所發生的事（他們的心思）。

多年來，我真的相信，我的不快樂導因於別人所做的事，或是沒有做的事。我把我的悲劇歸咎於外子和孩子們。我想，如果他們能有所改變，如果他們能更顧慮我的需要，如果他們能幫忙打理更多的家務，那麼，我就會快樂了。多年來，我所抱怨的事就這樣一件接著一件，沒完沒了。最後我終於面對現實，那就是，若我選擇正確的態度，這些事絕不會讓我不快樂。我的心思才是讓我不快樂的元兇。

讓我再說最後一次：想一想你在想些什麼。你也許可以找出問題所在，並且很快地踏上釋放之路。

注釋

1.W. E. Vine, Merrill Unger, William White, Jr., eds. Vine's Expository Dictionary of Biblical Words（Nashville: Thomas Nelson, Inc., Publishers, 1985）, p. 662.

2.James Strong, New Strong's Exhaustive Concordance of the Bible（Nashville: Thomas

Nelson Publishers, 1984),"Greek Dictionary of the New Testament", p. 24. 。

3.Webster's II New Riverside University Dictionary, s.v. "meditate."

4. W. E. Vine, Merrill Unger, William White, Jr., eds., Vine's Expository Dictionary of Biblical Words （Nashville: Thomas Nelson, Inc., Publishers, 1985), p. 400.

第二部
心思的狀態

引言

誰曾知道主的心去教導祂呢？

但我們是有基督的心了。

（哥林多前書二章 16 節）

　　你的心思處於何種狀態？你是否曾注意過心態是會改變的？也許上一刻你還平靜安穩，下一刻就開始焦慮不安了。或者，你剛剛才做了一個很有把握的決定，不一會兒，你的心就開始對前一刻還很確信的事疑惑起來了。

　　我的生命和其他人一樣，也曾經歷過這些景況。有些時候，我似乎可以毫無困難地相信神；有些時候，懷疑和不信的心又毫不留情地緊緊糾纏住我的心思。

　　因著人的心態似乎千變萬化，我開始尋思，究竟我的心何時才算處於正常狀態？我渴望知道何謂正常，好讓我學會當不正常的思考模式來襲時，能即刻予以迎頭痛擊。

　　例如，基督徒當視批判、論斷和懷疑為不正常的心態。然而，這些心態在我生命中的大部分時候卻屬正常——儘管不該如此。這就是我過去的生命，即使我的想法十分錯謬，並且已引發生命中接二連三的問題，我卻仍渾然不知所想的有何不當。

　　我並不知道自己可以好好地處置內在的生命。我是一個信

主多年的基督徒，卻從未領受過任何關於思考、或身為基督徒所當有之合宜心態的教導。

我們的心思意念不會在新生命的經驗中重生，它們需要被更新（參考羅馬書十二章2節）。如同我多次重複的，心思意念的更新需要時間來醞釀。繼續讀本書的下一部，你會發現，就一個宣稱基督是救主的人而言，其實你的心思絕大部分時候是與此身分不相稱的，即使如此，也別喪氣。辨認出問題的所在是邁向醫治的第一步。

以我為例，數年前我才開始更認真地與神建立關係，神在當時開始向我啟示，使我知道許多問題都是衍生自錯誤的思想。我的心理狀態簡直是一團混亂！我懷疑自己的心是否曾經正常過，即便有，也並不持久。

當我開始看出，過去所沉迷的想法有多麼離譜時，我深深受到打擊。我嘗試趕走侵入意念中的錯謬觀念，但它們又會再回頭進攻。但漸漸地，自由和釋放終於來臨。

撒但會在你的心思意念更新時向你展開猛烈的攻擊，但你必須再撐下去。繼續禱告，持續在這個領域裡的研究工作，直到你贏得相當程度的勝利。

何謂正常心態？你的心究竟應該四處漫遊，還是專注在進行中的事？對於生命當行的方向，應該沮喪困惑，還是滿有理性平安的把握？應該充滿懷疑不信、焦慮擔憂，深受恐懼折磨？或是善用神兒女的特權，將一切的憂慮卸給神（參考彼得前書五章7節）？

帶著禱告的心挺進到下一場心思的戰役中。我深信你的眼目會被開啟，看出對於身為耶穌的門徒、身為命定行在勝利中的人而言，什麼是正常或不正常的心思。

8 何謂正常的心思？

求我們主耶穌基督的神，榮耀的父，

將那賜人智慧和啓示的靈賞給你們，使你們眞知道祂；

並且照明你們心中的眼睛，

使你們知道祂的恩召有何等指望，

祂在聖徒中得的基業，有何等豐盛的榮耀。

（以弗所書一章 17～18 節）

　　注意保羅的禱告，你我因爲「心中的眼睛」被照明而得著智慧。根據我多方的研究，「心中的眼睛」指的就是心思。

　　身爲基督徒，我們心思裡的狀態應該是如何？換句話說，何謂基督徒的正常心思？在回答這個問題之前，我們要先看看心思與靈的不同功能。

　　根據神的話，心思與靈是一起運作的：我將之稱爲「以心思輔助靈」的原則。

　　爲了更明瞭這個原則，讓我們來看看它如何在基督徒的生命中運作。

心靈的原則

「除了在人裡頭的靈，誰知道人的事？像這樣，除了神的靈，也沒有人知道神的事。」（哥林多前書二章 11 節）

當一個人接受耶穌基督成為個人的救主後，聖靈就住在他裡面。聖經教導我們，聖靈知道神的心意。就如惟有在人裡頭的靈，知道人的想法；同樣地，惟有神的靈，知道神的心意。

聖靈住在我們裡面，而祂知道神的心意，所以祂的工作之一，就是向我們揭示神的智慧和啟示。智慧和啟示先傳遞到我們的靈裡面，我們的靈再照亮心中的眼睛，亦即心思意念。聖靈如此動工，是讓我們可以真實地理解屬靈方面的領受。

正常抑或反常

基督徒雖是屬靈的，但也同時受制於天性。天性不見得了解屬靈的事；因此，我們的心思絕對必須被光照，以看清靈裡的動靜。聖靈渴望光照我們，但我們的心思通常會因過度忙碌而錯過聖靈試圖給我們的啟示。過度忙碌的心思是反常的。正常的心思並非空白一片，而是處於安息狀態。

我們的心思裡面不應該充滿理論、擔憂、焦慮、恐懼等諸如此類的事。反之，它應該是平穩、安靜而沉著。當我們繼續進入本書的第二階段，你會察覺數種反常現象，也許你會認出它們是你心思裡的常客。

明白心思需要維持正常的狀態十分重要。將心思裡面的一般狀態與正常的狀態相較，就不難了解為何我們極少領受從聖靈而來的啟示，為何我們總是覺得自己缺乏智慧和啟示。

記住，聖靈會試圖光照基督徒的心。聖靈將從神來的信息傳遞給人的靈，這人的靈若與心思是相通相助的，他就能行在從神來的智慧與啟示中。他的心思若是過於忙碌，就會錯失主透過他的靈試圖要給他的啟示。

微小的聲音

「耶和華說：『你出來站在山上，在我面前。』那時耶和華從那裡經過，在他面前有烈風大作，崩山碎石，耶和華卻不在風中；風後地震，耶和華卻不在其中；地震後有火，耶和華也不在火中；火後有微小的聲音。」（列王紀上十九章 11 ～ 12 節）

為了要得著啟示，我已禱告多年，我祈求神透過住在裡面的聖靈向我啟示。我知道這樣的要求是屬靈的。我相信神的話，也確信我應當如此求而且必要得著。然而許多時候，我卻會產生一種我自嘲為「屬靈白痴」的感覺。然後我才學習到，自己所以未能領受聖靈的許多啟示，單單只因我的心思太狂野、忙碌，因而漏掉祂傳送來的訊息。

假設有甲乙兩人在同一個房間裡。甲試著用耳語向乙說一個祕密，房間裡若是十分吵雜，即使甲已將訊息傳遞了，乙仍然會因屋裡太吵、聽不到甲說的話而漏掉這個祕密。除非乙極為專心，否則，他可能絲毫不覺有人在對他說話。

這就是神的靈與我們的靈溝通的方式。聖靈行事溫和；大多時候祂對我們說話，就像上述經文中對先知的方式一樣，是用微小的聲音。所以，讓自己保持在傾聽的狀態是很要緊的。

靈與心思

「這卻怎麼樣呢？我要用靈禱告，也要用悟性禱告。」

（哥林多前書十四章 15 節）

要了解所謂「以心思輔助靈」，較好的方式也許是以禱告為例。使徒保羅在這節經文裡說，他同時用靈和悟性來禱告。

我了解保羅所說的，因為我也是如此。我經常在靈裡禱告（用我不懂的語言，也就是方言）；通常這樣禱告一段時間後，就會有意念出現在我心裡，因我再用悟性的語言禱告出來。我相信心思用這種方式輔助靈。它們一同運作，以我能理解的方式獲得從神而來的知識和智慧。

反之亦然。有些時候我想禱告，我就以禱告親近神。若是靈裡沒有特別的感動，就單憑自己的意念來禱告，亦即就我所知的議題和狀況來禱告。這些禱告有時似乎平淡無奇，沒有從靈而來的幫助。我似乎是在硬撐，但我會繼續在其他所知的事上持續禱告。

我會一直持守到我裡面的聖靈在某個主題上感動我。當祂這樣做時，我就知道我禱告的事與祂的心意符合，而非只是出於我個人意願所作的禱告。我的靈與心思以這種方式同工，相輔相成地完成神的旨意。

說方言和翻方言

「所以那說方言的，就當求著能翻出來。我若用方言禱告，是我的靈禱告，但我的悟性沒有果效。」（哥林多前書十四章 13～14 節）

另一個靈與心思同工的例子就是翻方言的恩賜。

　　當我說方言時，除非神賜給我理解的能力，否則於我的心思無益；得知所說內容為何才能使我的心思得益處。

　　請牢記在心，這個恩賜並不是指把方言翻譯（translate）出來。翻譯（translation）是指按著訊息的一字一句直接轉換成另一語言，而意譯（interpretation）則是在明瞭對方話中的涵義後，透過譯者的個人風格以他自己的方式表達出來。

　　讓我舉例說明：史密斯姐妹在聚會中站起來以方言傳遞了一個信息。這信息是從她的靈裡釋放出來的，包括她自己在內，沒有任何人知道她說了些什麼。神也許讓我明白信息為何，卻可能只是一個大方向的概念。倘若我當場憑信心站出來開始翻方言，就能使大家都明白信息的內容，但此時我是以自己的方式闡述出來。

　　在靈裡（用方言）禱告並且翻（方言）出來，是明瞭「以心思輔助靈」這原則的絕佳方式。靈說話，而心思賦予理解力。

　　現在，我要你想一想：當史密斯姐妹用方言禱告時，神就開始尋找翻方言的人，當時我的心裡若塞滿了雜念而聽不見，祂就只好跳過我。即使祂試圖將翻出來的信息傳遞給我，我也接收不到。

　　當我的靈命幼小、剛開始學習屬靈的恩賜時，我幾乎單單只用方言禱告。經過相當長的一段時間後，我開始覺得禱告生活很乏味。當我向主談起這事時，祂讓我明白，我所以會覺得乏味，是因為我根本不曉得自己在禱告些什麼。雖然我了解並不見得需要知道每一次靈裡禱告的內容，但我學習到：這種模式的禱告是要平衡的，我若從中未曾有過任何悟性上的了解，它就不是最能使我獲益的事。

平靜儆醒的心

「堅心倚賴祢的，祢必保守他十分平安，因為他倚靠
祢。」（以賽亞書廿六章3節）

我希望你從這些例子中看出，你的心思與靈確實可以一同
運作。所以第一要緊的是，你的心思一定要處在絕對正常的狀
態。否則，它就不能成為靈的助力。

撒但當然知道這個事實，所以牠攻擊你的心思，在你心思
的戰場上掀起戰役。牠要在你的心思裡面塞滿各樣錯謬的思
想，使你心思的承載量和工作量都超出負荷，無法自由且有效
地讓聖靈透過你的靈來工作。

心思應該要保持平靜。正如先知以賽亞所言，只要你的心
停留在正確的事上，你的心思自然平靜安穩。

然而，你的心也要儆醒。當心裡滿載過於它所能承受的雜
念時，是不可能儆醒的。

想一想：你的心思有多少時候是正常的？

9 遊蕩、疑惑的心

所以要約束你們的心。

（波得前書一章 13 節）

　　我們在前一章提到太忙碌的心是反常的。另一個反常的狀態是漫不經心，導致無法專心辨認出從魔鬼而來的心理攻擊。

　　許多人任由自己的心長久四處遊蕩，因爲他們從未使用任何原則來約束它。

　　無法專心的人通常都認爲自己是有心理缺陷的人。然而無法專心的人，可能是由於他們經年累月地任憑己心爲所欲爲，也可能是缺乏維生素的徵兆。維生素B能促進注意力的集中，如果你有無法專心的問題，要先想想自己的飲食是否恰當，營養是否均衡。

　　過度疲勞也可能影響注意力的集中。我發現當我極度疲憊時，撒但會趁機展開攻擊，因爲牠知道在這種情況下要抵抗牠是比較困難的。魔鬼要我們以爲自己是有心理缺陷的人，如此一來我們就不會採取任何不利於牠的行動。牠的目的就是要讓我們對牠的謊言不設防。

　　我有一個女兒在兒童時期就曾有注意力不能集中的問題，閱讀對她而言很困難，因爲注意力和理解力是相輔相成的。許多小孩、甚至有些大人都不能理解他們所閱讀的內容。他們的眼睛雖然看著字，心裡卻不是眞的明白讀過的內容。

缺乏理解力背後的真正原因，通常是由於漫不經心所造成的注意力不集中。

四處漫遊的心

「要謹慎腳步。」（傳道書五章 1 節）

我相信「謹慎腳步」的意思是「別失去平衡或偏離正軌」，由這句話可延伸出：一個人若留意自己所做的事，就能保守自己在正軌上。

我以前也經常心不在焉，我的心必須用紀律來約束才行。這絕非易事，至今我偶爾仍會故態復萌。當我試圖完成某個企劃案時，會突然意識到自己的心思意念飛到其他不相干的事情上。我還未操練到可以完全專心的程度，但至少我明白管好自己的心，不放任它隨時隨地四處漫遊的重要性。

韋氏字典對「漫遊」（wander）這個字的定義是：「漫無目標地移動：徘徊；無固定方向或步伐地走動；漫步；以不規則的路線或動作前進；迂迴……；思考或表達暗昧不清或支離破碎。」[1]

如果你和我一樣，有時在教會裡聽講道，正當聽得入神而且從中受益匪淺時，心思卻突然飄走，過一會才驚醒過來，發現自己對於剛才所發生的事一無所知；即使身體仍在教會裡，心思卻已飄到購物中心瀏覽櫥窗，或飛回家在廚房煮起晚餐來了。

這種心不在焉的現象在與人交談中也會發生。有些時候當外子戴夫對我說話時，我會傾聽一陣子，然後我才會猛然驚

覺，他說的話我一句也沒聽進去。為何如此？因為我放任自己的心思飄到其他的事上。我的身體仍站在原處，看似在傾聽，但我的心卻一句話也沒聽到。

過去許多年，當這類的事發生時，我就會假裝對戴夫說的話聽得一清二楚。現在我會停下來說：「你能不能倒回去再說一遍？我剛才有點心不在焉，根本沒聽到你說什麼。」

我用這種方式，至少讓自己覺得是在處理問題。面對問題的癥結是得勝的惟一途徑！

我已確信，如果魔鬼使用令我心不在焉的方式攻擊我，就表示對方所說的話是我需要聽的。

在這個領域裡擊敗魔鬼的方式，是就近取材，善用大部分教會都有供應的錄音帶。如果你還未學會自我約束，把心專注在講台所傳講的信息上，那麼你應該每週購買講台信息的錄音帶，按需要儘量多聽幾次，以確保吸收了那些信息。

當魔鬼看見你不準備投降時就會罷手。

記住，撒但要你認為自己有心理障礙，有某方面的心理問題。但事實上，你所需要的只是約束己心而已。別讓牠逞欲橫行。今天就開始「謹慎腳步」，把你的心專注在所做的事情上。你會需要一段時間的練習。突破積習並且養成新的習慣總是較花時間，但終究是值得的。

懷疑的心

「我實在告訴你們，無論何人對這座山說：『你挪開此地，投在海裡！』他若心裡不疑惑，只信他所說的必成，就必給他成了。所以我告訴你們，凡你們禱告祈求

的，無論是什麼，只要信是得著的，就必得著。」（馬
可福音十一章 23～24 節）

面對現實後，我發現常聽到自己帶著懷疑的口氣說：「不
曉得（I wonder）。」舉例來說：「不曉得明天天氣如何。」「不
曉得該穿什麼衣服赴宴。」「不曉得小兒丹尼的報告會拿幾
分。」「不曉得會有多少人來參加座談會。」

字典裡對於「懷疑」（wonder）的部分定義如下，當名詞用
時是「迷惑或質疑的感覺」，當動詞用時是「充滿好奇和質疑」。[2]

我已經學會：與其胡思亂想未知的結果，不如做些積極的
事；與其胡亂猜測丹尼的分數，不如相信他會拿到好分數；與
其擔心赴宴的穿著，不如決定該穿的衣服。與其質疑天氣和我
所主講之聚會的參加人數，不如將之交託給神，相信祂無論如
何都能使萬事互相效力。

懷疑令人優柔寡斷，優柔寡斷會導致迷惑。懷疑、優柔寡
斷和迷惑，會攔阻人以信心領受神對他的禱告或需要的應允。

請注意，馬可福音十一章23～24節中耶穌並沒有說：「凡
你們禱告祈求的，無論是什麼，只要懷疑是得著的，就必得
著。」相反地，祂說：「凡你們禱告祈求的，無論是什麼，只
要信是得著的，就必得著。」

身為基督徒，身為信主的人，我們要相信，不要懷疑！

注釋

1.Webster's II New Riverside Dictionary, s.v. "wander."

2.Webster's II New Riverside Dictionary, s.v. "wonder."

10 困惑的心

你們中間若有缺少智慧的，應當求那厚賜與眾人，

也不斥責人的神，主就必賜給他。

只要憑著信心求，一點不疑惑因為那疑惑的人，

就像海中的波浪，被風吹動翻騰，

這樣的人，不要想從主那裡得什麼。

心懷二意的人，在他一切所行的路上都沒有定見。

（雅各書一章5～8節）

我們已經曉得懷疑和困惑是息息相關的。心中懷疑而無定見，絕對會導致懷疑和困惑。

雅各書一章5～8節是絕佳的經文，幫助我們明白如何勝過懷疑、質疑和困惑，並且從神得著我們所需。對我而言，「心懷二意的人」（英王欽定本稱之為「懷有二心的人」〔a double-minded man〕）浮現在我腦海中的影像，是一個周而復始前進後退、又前進後退，從來不下決定的人。他一下決定就開始懷疑、困惑，使他又回到三心二意裡重新作抉擇。他對任何事都不確定。

我生命中大部分的日子都是這樣過的，渾然不知魔鬼已向我發動戰爭，而我的心思就是戰場。我對每一件事都感到困惑，卻不明白為何如此。

理性導致困惑

「你們這小信的人，為什麼……彼此議論呢？」（馬太福音十六章8節）

至此，我們已討論過懷疑，在下一章還要談談質疑。現在，我想再來細談困惑。

神的百姓絕大部分都承認自己是困惑的。為什麼？就我們所看見的原因之一是懷疑，另一原因就是理性了。字典裡對於「理性」（reason）的部分定義如下：當名詞用時是「對前提或事件提供一個具邏輯觀之潛在性的事實或動機」。當動詞用時是「運用理性的能力：用邏輯思考」。[1]

簡單地說，就是當一個人企圖想理解事情背後的成因時，就會產生所謂的理性。理性會導致一個人的心繞著一個狀況、議題或事件反反覆覆地思索，試圖了解其錯綜複雜的來龍去脈。當我們剖析一種聲明或教導以察驗它是否合乎邏輯，若不合邏輯就摒棄之，這就是理性。

撒但經常運用理性從我們身上竊奪神的旨意。主可能指示我們去做某件事，倘若這件事並不合理、不合邏輯，我們就會試圖不加以理會。神帶領人所做的事，對當事人而言不見得都合乎邏輯。他在靈裡也許是很確信的，但他的心思卻排斥，尤其當這件事違反常理或令人不快，或是需要個人的犧牲奉獻，甚或造成不便時尤然。

別用理性思考，單單在靈裡順服

「然而，屬血氣的人不領會神聖靈的事，反倒以為愚拙；並且不能知道，因為這些事惟有屬靈的人才能看透。」（哥林多前書二章14節）

用我個人的一個實例來詳加說明，希望能在了解心思裡的理性與靈裡的順服相抗衡的議題上，對你有所幫助。

一天早晨，我要在家鄉附近主領一場每週一次的聚會。當我更衣時，開始想到負責推動這個事工的義工，以及她堅定的信心。我的心中興起一股要想法子祝福她的念頭。

「天父，安路得（Ruth Ann）這些年來一直都是我們很大的祝福，」我禱告著：「我該怎麼做來祝福她？」

我的眼光立即落在衣櫥裡一件全新的紅洋裝上，我打從心裡知道，主正催促我把它送給安路得。這件洋裝雖然是我三個月前買的，卻從沒穿過。事實上，我連包裝都還沒拆開。我很喜歡它，但每一次想到時，卻不知為何總是沒有穿上它的欲望。

當我的眼光落在紅洋裝上時，我就知道應該把它送給安路得。然而，我真的不願意放棄它，所以我的理性立刻在我心裡開始發動：神不可能要我送她那件紅洋裝，因為它是全新而且還沒穿過，又挺貴的，我還買了一對紅色鑲銀的耳環來搭配呢！

倘若我排除肉體上的軟弱，繼續保持靈裡對神的敏銳，事情的進行就會十分順利，但人類就是有自欺欺人的本領，尤其

是當我們不想按照神所說的去行時。我在幾分鐘之內就把整件事忘得一乾二淨，並繼續處理自己的事。我不想把洋裝送人的關鍵在於它是新的，而且我很喜歡。我的理性告訴我，我的感動一定不是從神來的，而是魔鬼想奪我所好的伎倆。

幾星期後，我又在同一個位置上更衣，準備另一場聚會，安路得的名字又再一次浮現在我心裡。我開始為她禱告。前一次的景象再度重演，我說：「天父，安路得一直都是我們很大的祝福，我該怎麼做來祝福她？」我立刻又瞥見那件紅洋裝，當時我肉體的感覺就像自由落體一般陡然下沉，因為我憶起上回的事了（我很快就忘得一乾二淨的事）。

這次我倒是沒什麼掙扎；我得面對一個事實，神已向我顯明做法，我照做就是了，或者乾脆向神坦白：「主啊，我知道祢已經向我顯明心意，但我就是做不到。」我愛神，無法在有充分認知的情況下卻不順服祂，所以我開始跟祂討論紅洋裝的事。

幾分鐘之內我就明白，前一次我是用理性來分析神的旨意，只因那洋裝是新的，我就以為我不可能聽到從神而來的話。而今我明白，聖經裡並沒有提到給出去的非得是舊東西！對我而言，正因為洋裝是新的，更顯得犧牲愈大，但對安路得卻是更大的祝福。

當我向神敞開心時，祂開始向我顯示，當初買那件洋裝原本就是為了安路得，所以我從來沒有穿上它的機會。主自始至終都打算透過我成為祂的使者來祝福她。但我對那件洋裝有自己的意見，除非我願意放下一己的想法，否則便無法蒙聖靈的引導。

這個突發事件帶給我很大的教導。我們是多麼容易受頭腦的影響，並且容許理性引導我們偏離神的旨意，如此的覺醒令

我對理性敬而生畏。

記住，從哥林多前書二章14節說，屬血氣的人不能了解屬靈人。我肉體的想法（屬血氣的我）不能理解爲何要把全新的洋裝送人，但我的靈（屬靈的我）卻能完全領會。

我希望此例能讓你在這個領域裡有更深的認識，並且幫助你更能行在神的旨意中。

（對了，你可能想知道我究竟有沒有把那件紅洋裝送給安路得。是的，我送了，現在她成爲我們辦公室裡的全時間同工，偶爾也會穿上那件紅洋裝來上班。）

成爲行道的人

「只是你們要行道，不要單單聽道，自己欺哄自己。」

（雅各書一章 22 節）

每當我們知道神話語所說的卻拒絕去行時，大多是理性在作祟，它會欺騙我們，使我們相信偏離真理的事。我們不可能投注大量的時間，去嘗試理解（心理層面的）神話語中所提到的每一件事。然而，我們若在靈裡同證神的話，就可以繼續前行並且行道。

我已經察覺神要我順服祂，不論我覺得喜歡與否，渴望與否，更遑論我是否視之爲好主意。

當神說話時，無論祂是透過祂的話語，或是在我們裡面說話，即使認爲祂所言不合邏輯，我們也不該自行推理、議論或自問自答。

當神說話時，我們的回應是付諸行動而非訴諸理性。

信任神，而非理性判斷

「你要專心仰賴耶和華，不可倚靠自己的聰明。」(箴言
三章5節)

換句話說，不要倚賴理性。理性使欺騙的大門洞開，招徠
許多的困惑。

我曾經問過神，為何有這麼多人陷入困惑中？祂對我說：
「告訴他們，什麼時候停止嘗試理解每一件事，他們的困惑就
會消失。」我發現這是全然的事實。理性和困惑是並行的。

你我可以在心裡思索事情，我們可以把它帶到神的面前，
再看看神是否願意讓我們明白，但當我們開始感到困惑的那一
刻起，就表示我們已想太遠了。

理性之所以危險是有諸多原因的，其中之一是：我們可以
在理性中推演出看似合理的結論。但我們所推理出的正確性也
許仍然是錯誤的。

人的心思喜歡邏輯、秩序和理性；它喜歡處理能夠理解的
事情。因此，我們傾向於把事情分門別類地存在意念裡：「一
定是這樣，因為它放在這裡剛剛好。」我們心裡覺得舒坦的
事，卻有可能完全是錯誤的。

使徒保羅在羅馬書九章1節說：「我在基督裡說真話，並
不謊言，有我良心被聖靈感動，給我作見證。」保羅知道他所
做的事是對的，不是出於理性的考量，而是因著他在靈裡受感
同證。

如前所述，心思有時候是可以幫助靈的。心思與靈可以一

同運作，但靈的機制在受造上更為尊榮，在層次上比心思還高。

我們在靈裡若知道一件事是錯的，就不應該容讓理性說服我們去做。同樣地，若知道某件事是對的，也不能允許理性遊說我們不去做。

神在許多議題上賜給我們理解的悟性，但我們與祂同行或是順服祂時，卻不需要每件事都了解。有些時候，神在我們裡面留下一個大問號，成為我們生命中擴增信心的工具，而未獲解答的疑問能將肉體的生命釘死在十字架上。對人類而言，要放棄理性單單相信神是十分困難的，可是一旦完成此過程，心思就可以進入安歇之處。

理性是心思裡最忙碌的活動之一，它專門攔阻洞察力和啟示性的知識形成。頭腦的知識和啟示性的知識之間有一段相當大的差距。

我不知道你的想法，但我個人希望神啟示我的方式，是透過靈使我明白在我心思裡所接收到的啟示是正確的。我不想要理性、推演或邏輯化的智慧，更不想繞著同一個議題反覆推敲至精疲力盡而困惑不已。我要經歷出於相信神、而非相信自己的見解和理解力所得著的心靈平安。

你我必須成長到一個階段，能夠明白祂知道所有的事。即使我們一無所知，也將因著有這樣的認知而心滿意足。

定意只知道基督

「弟兄們，從前我到你們那裡去，並沒有用高言大智對你們宣傳神的奧秘，因為我曾定了主意，在你們中間不

知道別的，只知道耶穌基督並祂釘十字架。」（哥林多
前書二章 1 ～ 2 節）

　　這是保羅對付知識和理性的方式，我已經明白體認了。雖
然花費了相當長的一段時間，但我終於在許多體驗中領悟到，
我知道得愈少就愈快樂。有時候發現得太多，反而令我們鬱鬱
寡歡。

　　我一直都是一個好奇心強烈，喜歡追根究底的人。我非得
把每件事都弄懂才覺得滿足。神開始向我顯明，頑梗的理性是
造成我困惑的根源，並且攔阻我領受神的賞賜。祂說：「喬伊
思，你若期望能擁有慎思明辨的能力，就必須先放下屬肉體的
理性。」

　　現在我才明白，過去的我必須把事情想通才會有安全感。
我不希望生命中有任何疏失。我要握有掌控權，對於無法理解
的事，我就會覺得超出掌控之外而感到恐懼，但我仍感到缺少
些什麼。我的心中沒有平安，理性的思考讓我的肉體精疲力
盡。

　　這種錯誤的心理活動會讓你的肉體疲憊，身心俱疲。

　　神要我放棄理性，我也要對任何沉溺在理性思考中的人提
出強烈的建議。沒錯，我說的是沉溺在理性思考中。我們會沉
迷在錯誤的心理活動中，就如有人會沉迷在藥物、酒精和菸癮
中一樣。我曾經沉溺在理性中，當我放棄時，生命便出現退縮
的症狀。我感到失落和恐懼，因為我再也不知道發生什麼事
了。我甚至感到無聊。

　　我的心曾經不停地忙碌於理性運作，當我放棄時，我還得
適應心中所出現的平靜。有一段時間似乎挺無聊的，但現在我

愛這種感覺。以往我的心總是忙碌地在每件事上運作，如今我卻無法忍受理性思考所帶來的痛苦和其中的心神操勞。

理性並不是神所要的正常心態。

你要有所認知，至少對於想得勝的基督徒——想在這場心思的戰役上打勝仗的一般信徒而言，當你的心思充滿理性的運作時，就不正常了。

注釋

1.Webster's II New Riverside Dictionary, s.v. "reason."

11 質疑不信的心

> 耶穌趕緊伸手拉住他，說：
>
> 「你這小信的人哪，為什麼疑惑呢？」
>
> （馬太福音十四章 31 節）
>
> 祂也詫異他們不信，就往周圍鄉村教訓人去了。
>
> （馬可福音六章 6 節）

我們經常把質疑和不信相提並論，好像它們是同一回事。事實上，它們彼此間雖然有關聯，卻又不盡相同。

威氏聖經字辭註解辭典特別將質疑的動詞形式定義為：「……腳踏兩條船……意即不確定何者為是；……小信之人的說法……焦慮，歸咎於意念上的錯亂狀態，在盼望和恐懼之間搖擺。」[1]

在同一本字典裡標示，希臘文裡有兩個經常被譯為不信的字，其中一字在英王欽定本的修訂版（the Revised Version of the King James translation）[2] 裡總是譯為「不順服」。

當我們細察仇敵這兩個有力的工具時，會看到質疑導致一個人搖擺在兩種看法裡，而不信則導致不順服。

我認為，認清魔鬼企圖用何種伎倆展開攻擊，對我們是有幫助的。我們要對付的究竟是質疑還是不信？

質疑

「……你們心持兩意要到幾時呢？」（列王紀上十八章21節）

我曾聽過一個故事，可在質疑方面提供一點亮光。

有一個生病的人對著自己的身體宣告神的話，他引用醫治的經文並且相信自己就要得醫治。當他這麼做時，卻因為一股質疑的想法襲上心頭而遭到中斷。

一段煎熬之後，就在他開始感覺到挫折時，神開啟他的眼目讓他看到屬靈世界的光景。他看到的情形如下：有一個邪靈正在對他說謊，告訴他不可能得醫治的，即使宣告神的話也是枉然。但他同時也看到，每一次他宣告神的話，就會有光芒如利劍般從他口中射出，而邪靈就瑟縮後退。

當神將這異象顯明給他看時，這人才恍然大悟，為何口裡不斷地說出神的話是如此重要。他看到自己的確是有信心，所以邪靈要用質疑來攻擊他。

質疑並非從神而來的。聖經上說，神賜給每一個人一定程度的信心（參考羅馬書十二章3節）。神已把信心擺在我們心裡，但魔鬼用質疑來攻擊我們，企圖否定我們的信心。

質疑會以思想的形式出現，它與神的話是敵對的。這就是為何明白神的話語是如此重要。我們若認識神的話，就可以在魔鬼向我們施展謊言時明察秋毫。你要知道，牠的謊言是為了竊奪耶穌基督透過祂的死和復活，為我們所買贖的一切寶貴應許。

質疑和不信

「他在無可指望的時候，因信仍有指望，就得以作多國的父，正如先前所說：『你的後裔將要如此。』他將近百歲的時候，雖然想到自己的身體如同已死，撒拉的生育已經斷絕，他的信心還是不軟弱，並且仰望神的應許，總沒有因不信心裡起疑惑，反倒因信，心裡得堅固，將榮耀歸給神，且滿心相信，神所應許的必能作成。」（羅馬書四章 18～21 節）

每當我進入戰場，明知神的應許卻仍受到質疑和不信的攻擊時，我喜歡用心地讀或是默想以上的經文。

亞伯拉罕已蒙神應許，要賜給他從其本身嫡出的繼承人。年復一年，亞伯拉罕和撒拉依舊膝下無子。但亞伯拉罕仍堅立在信心中，相信神所說的必定應驗。當他剛強站立時，也受到質疑的想法攻擊，不信的靈迫使他不順服神。

在這種情況下，所謂的不順服可能只是在神鼓勵我們堅持時放棄而已。不順服不單是指違反了十誡，凡漠視主的聲音，或任何神對個人所說的話，都是不順服。

亞伯拉罕持續堅定的立場。他持續讚美神，並且將榮耀歸給神。聖經上說，當他如此做時，反倒因信而心裡得堅固。

可見當神告訴或要求我們一些事時，相信和執行的信心是隨著神的話一起出現的。神若期望我們去做一些事，卻不量給我們信心有能力做到，豈不是很荒謬嗎？撒但知道，當我們的心充滿信心時是多麼具有威脅力，所以牠會用質疑和不信來攻

擊我們。

並非我們沒有信心，只是撒但企圖以謊言來摧毀我們的信心。

讓我舉個例子，那是當我領受事奉的呼召時所發生的事。那天早晨與平日無異，惟一不同的是，我在三星期前經歷了聖靈充滿。當時我才剛聽完第一卷教導的錄音帶，由雷‧默思侯德（Ray Mossholder）所主講的「跨越至對岸」（Cross Over to the Other Side）。我的心受到攪動，並且詫異有人竟可以單就一節經文教導了整整一個小時，而且整段的內容都很生動有趣。

當我在整理床鋪時，心中突然興起一股教導神話語的強烈欲望。然後主的話臨到我：「你將走遍各地去教導我的話，以發行大量教導性質的錄音帶作為事工。」

沒有任何現實的理由支持我，使我相信神真的對我說話，或相信我可以做到任何我以為我所聽到的事。我自己裡面也還有許多問題。我實在不像個教導型的人，但「神卻揀選了世上愚拙的，叫有智慧的羞愧；又揀選了世上軟弱的，叫那強壯的羞愧」（哥林多前書一章27節）。「因為耶和華不像人看人，人是看外貌，耶和華是看內心。」（撒母耳記上十六章7節）心態如果是正確，神是可以改變肉體的。

雖然沒有任何事實顯示我應該相信，但這股欲望湧上心頭時，我對於主要我做的事卻充滿了信心。當祂呼召時，祂同時也賜下完成工作的欲望、信心和能力。但我也要告訴你，在我裝備和等待的幾年時間裡，魔鬼不時以質疑和不信來攻擊我。

神在祂百姓的心中賜下異夢和異象；剛開始只是像一顆小小的種子。就像婦人懷孕時，她的子宮裡有一顆受精卵，當神對我們說話或有所應許時，我們可以說好像懷了屬靈的身孕一般。在「懷孕」期間，撒但會猛烈出擊，企圖使我們放棄夢

想。牠所使用的工具之一就是質疑，另一個是不信。兩者皆與意志力抗衡。

信心是來自靈裡的產物，是屬靈的力量。仇敵不願我們的心思與靈和好。牠知道當神賜給我們做一件事的信心時，我們就會變得積極，開始不斷地相信真的可以做到，自然就對牠的國度造成嚴重的損害。

繼續行在水面！

「那時，船在海中，因風不順，被浪搖撼。夜裡四更天，耶穌在海面上走，往門徒那裡去。門徒看見他在海面上走，就驚慌了，說：『是個鬼怪！』便害怕，喊叫起來。耶穌連忙對他們說：『你們放心，是我，不要怕！』彼得說：『主，如果是祢，請叫我從水面上走到祢那裡去。』耶穌說：『你來吧。』彼得就從船上下去，在水面上走，要到耶穌那裡去；只因見風甚大，就害怕，將要沉下去，便喊著說：『主啊，救我！』耶穌趕緊伸手拉住他，說：『你這小信的人哪，為什麼疑惑呢？』他們上了船，風就住了。」（馬太福音十四章24～32節）

我要特別強調最後一節，因為我要你注意仇敵在這段經文中的計謀。彼得在耶穌的命令下踏出船外，去做一件他未曾做過的事。事實上，除了耶穌以外，誰也沒做過這樣的事。

這需要信心！

彼得犯了一個錯；他花太多時間定睛在暴風雨上，以致心

生恐懼。質疑和不信如大浪壓頂席捲而來，於是他開始往下沉。他向耶穌大聲呼救，祂就來搭救他。但請注意，當彼得一回到船上，暴風雨就止息了。

還記得羅馬書四章 18～21 節說，當亞伯拉罕想到他無能為力的處境時並沒有動搖？亞伯拉罕知道真實的狀況，但他與彼得不一樣，我不認為他經常想這件事，或成天談論這件事。你我對於置身的處境可能有所認知，然而我們要刻意讓自己的心專注在積極造就並使信心增強的事上。

亞伯拉罕之所以忙於讚美神、歸榮耀給神的原因就在此。當我們在情況明顯不利時仍持續做認為對的事，就是榮耀神。以弗所書六章 14 節教導我們，在屬靈爭戰時，我們要束緊真理的腰帶。

當你生命中的風暴來襲時，要站穩腳步，仰起臉來如火石般堅硬，定意靠著聖靈而能立穩在船外！一旦你放棄而爬回安全的地帶時風暴通常也就止息了。

魔鬼在你的生命中掀起風浪來威嚇你。在風暴中謹記，心思就是戰場。別憑著感覺和想法下決定，要先在靈裡確認。當你這樣做時，便會發現同一個異象自始至終都存在。

不容許任何搖擺

「你們中間若有缺少智慧的，應當求那厚賜與眾人，也不斥責人的神，主就必賜給他。只要憑著信心求，一點不疑惑；因為那疑惑的人，就像海中的波浪，被風吹動翻騰，這樣的人，不要想從主那裡得什麼。」（雅各書一章 5～7 節）

　　我的牧師雷克・薛爾頓（Rick Shelton）說了一個故事，當他從神學院畢業而尋求何去何從時，感到十分困惑。神曾經把一個強烈的感動擺在他心中，要他畢業後回到密蘇里州的聖路易市（St. Louis），開拓一個地方教會，這也正是他原先的打算。然而就在動身的日期迫近之際，他的口袋裡卻只有大約美金五十元，同行的還有身懷六甲的妻子和一個孩子。他的處境顯然不是很好。

　　在此抉擇期間，他受到兩個大型事奉機構的延攬邀請，並且提供他優渥的待遇。不僅事奉的機會很吸引人，有幸成為任一機構的一份子都足以使他心滿意足。他考慮的時間愈長，愈覺得困惑。（看來質疑先生已經來拜訪他了，不是嗎？）

　　他曾經很確信自己要做什麼，而今，他卻在抉擇中搖擺。既然他的處境不利於回聖路易市，接受兩機構之一的聘請就顯得誘人多了，但接受任何一方又都令他感到不平安。最後，他請教提供他工作機會的其中一位牧師，這位牧師很有智慧地說：「去退修吧！找一個安靜的地方，先讓腦筋休息休息。然後看看你的內心深處，看到什麼就去做吧！」

　　當他照這位牧師的建議去做時，很快就發現，他在內心深處所看到的就是聖路易市的教會。他不知道就手上僅有的資源要如何去開拓一個教會，但他順服地去做了，結果極其美好。

　　今日的雷克・薛爾頓是密蘇里州聖路易市基督徒生命中心（Life Christian Center）的創辦人兼主任牧師。最近，基督徒生命中心更成為近三千人聚會的全球性教會。多年來，數千人的生命透過這個教會得到祝福，命運被翻轉。我也在這間教會擔任過五年的助理牧師，而我所事奉的機構「生命真道」（Life in the Word），就是在那一段期間成立的。想一想，當初薛爾頓牧師

如果是被他的頭腦而非心來引導，魔鬼透過質疑和不信所偷竊的價值將有多麼驚人！

質疑是一種選擇

「早晨回城的時候，祂餓了，看見路旁有一棵無花果樹，就走到跟前；在樹上找不著什麼，不過有葉子，就對樹說：『從今以後，你永不結果子！』那無花果樹就立刻枯乾了。門徒看見了，便希奇，說：『無花果樹怎麼立刻枯乾了呢？』耶穌回答說：『我實在告訴你們，你們若有信心，不疑惑，不但能行無花果樹上所行的事，就是對這座山說：『你挪開此地，投在海裡！』也必成就。你們禱告，無論求什麼，只要信，就必得著！』」（馬太福音廿一章 18～21 節）

當耶穌的門徒覺得稀奇，問祂如何能夠單憑一句話就摧毀無花果樹時，祂一針見血地回答他們：「你們若有信心，不疑惑，就能像我一樣行無花果樹上所行的事，並且要作比這更大的事。」（參考約翰福音十四章 12 節）

我們的信心經過建造，並且知道它是神的恩賜，所以我們都有信心（參考羅馬書十二章 3 節）。但質疑是一種選擇，是魔鬼攻擊我們心思的伎倆。

既然想法是可以作選擇的，當質疑造訪時你應該學會分辨，並且向牠說：「不了，謝謝。」然後繼續相信神！

選擇權在你！

不信即是不順服

「耶穌和門徒到了眾人那裡，有一個人來見耶穌，跪下，說：『主啊，憐憫我的兒子！他害癲癇的病很苦，屢次跌在火裡，屢次跌在水裡；我帶他到袮門徒那裡，他們卻不能醫治他。』耶穌說：『噯！這又不信、又悖謬的世代啊，我在你們這裡，要到幾時呢？我忍耐你們要到幾時呢？把他帶到我這裡來吧！』耶穌斥責那鬼，鬼就出來；從此孩子就痊愈了。門徒暗暗地到耶穌跟前，說：『我們為什麼不能趕出那鬼呢？』耶穌說：『是因你們的信心小。』」（馬太福音十七章 14～20 節）

記住，不信導致不順服。

耶穌也許已經教過門徒面對此類案例的特定做法，然而他們的不信導致了不順服；因此不能成功。

重點在於任何情況下，不信就如同質疑，兩者都會使我們無法完成神在我們生命中的呼召和膏抹。也使我們無法經歷當靈魂平靜安穩在祂裡面時，祂要我們得享的安息。

安息日的安息

「所以，我們務必竭力進入那安息，免得有人學那不信從的樣子跌倒了。」（希伯來書四章 11 節）

假如你把希伯來書第四章讀完，便會發現裡面談到另有一

「安息日」的安息爲神的子民存留。在舊約，安息日被視爲休息的日子。在新約，安息日的安息是指屬靈的安歇處。我們可以拒絕憂慮和不安，這是每位信主之人都享有的特權。身爲基督徒，你我都可以進入神所預備的安息。

經由仔細地觀察，希伯來書四章 11 節指出，除非透過相信，我們無法進入安息，不信和不順服會導致我們錯失安息的權益。不信使我們停留在「曠野的生活」中，但耶穌提供了一個永久的安息之處，惟有過一個倚靠信心的生活才能居住在其中。

本於信，以至於信

「因爲神的義正在這福音上顯明出來，這義是本於信，以至於信，如經上所記：『義人必因信得生。』」（羅馬書一章 17 節）

我記得一個事件，可以很清楚地把這個觀點闡明出來。一天傍晚，我繞著自家的房子走，想做一點家事，當時我很不快樂。我絲毫沒有喜樂——心中沒有一點平安。我不斷地問神：「我究竟有什麼不對勁的地方？」我經常有這種感覺，而我是眞的想知道自己的問題出在哪裡。我一直努力遵行與耶穌同行時所學到的一切，但其中顯然缺少了什麼。

就在那一刻，電話鈴響了起來，我在接聽時一面說，一面用拇指滑過一盒別人送我的經句卡。我從未認眞看過這些卡片，只是在講電話的時候隨意翻翻而已。掛了電話後，我決定隨便抽一張出來，看看是否能得到一些激勵。

我一抽就抽出羅馬書十五章 13 節：「但願使人有盼望的神，因信將諸般的喜樂、平安，充滿你們的心，使你們藉著聖靈的能力，大有盼望！」

我看到了！

所有問題的癥結就在於質疑和不信。我因為相信魔鬼的謊言而造成自己不快樂。我一直都很消極，無法喜樂平靜，因為我不信。活在不信中的人是不可能擁有喜樂和平安的。

定意相信神，而非魔鬼！

學習活在因信以至於信中。根據羅馬書一章17節所說，如此神的義才會顯明出來。主不得不向我顯明，我若不能活在因信以至於信中，就會經常從信淪為質疑和不信。也許我會回到信心中一段時間，之後又轉向質疑和不信。我會周而復始地在其中遊走，所以生命中才會有這麼多的問題和不幸。

記住，根據雅各書一章7～8節所說，心懷二意的人，在他一切所行的路上都沒有定見，這樣的人，不要想從主那裡得什麼。下定決心不再心懷二意，不要再活在質疑中了！

神為你計畫了豐富美好的生命，別讓撒但透過謊言從你身上把它偷走。反之，你要「將各樣的計謀，各樣攔阻人認識神的那些自高之事，一概攻破了；又將人所有的心意奪回，使他都順服基督」（哥林多後書十章5節）。

注釋

1.W. E. Vine, Vine's Expository Dictionary of Old and New Testament Words (Old Tappan: Fleming H. Revell, 1981), Vol. A:A-Dys, p. 335.

2.W. E. Vine, Vine's Expository Dictionary of Old and New Testament Words (Old Tappan: Fleming H. Revell, 1981), Vol. 4:Set-Z, p. 165.

12 憂慮不安的心

不要心懷不平……。

（詩篇卅七篇8節）

　　不安和憂慮直接攻擊我們的意念，企圖轉移我們服事神的心志。仇敵也會用這兩種折磨來削減我們的信心，使它不能幫助我們得勝。

　　有些人憂慮的毛病嚴重到幾乎可以說是躭溺在其中。他們自己若是沒有問題可憂慮，就會擔心起別人的情況。我曾經有過這樣的問題，所以最有資格來描述這種狀況。

　　因著我總是處於憂慮中，所以從未享受過耶穌以死所為我換取的平安。

　　憂慮的人不可能活在平安中。

　　平安不是可以平白就加在一個人身上的東西；它是聖靈的九種果子之一（參考加拉太書五章22節），果子是由於常在葡萄樹上而結出來的（參考約翰福音十五章4節）。這又與希伯來書第四章，以及聖經中其他提到關於「神的安息」之經文有關。

　　聖經中有多次提到憂慮（worry）的情形，在不同的翻譯版本中所用的字彙不盡相同。英王欽定本中不用「憂慮」這個詞。除了「不煩惱」（參考詩篇卅七篇8節，和合本譯為「心懷不平」）外，其他用以警告憂慮的例句有「不去想」（參考馬太

福音六章25節，和合本譯爲「不要……憂慮」）；「一無掛慮」
（參考腓立比書四章6節）；「將一切顧慮卸下……」（參考彼
得前書五章7節）。我經常使用擴大版的聖經，裡面對於同一
主題囊括了數種譯本的不同遣詞。爲了使以下的教導單純化，
我會統一使用「憂慮」這個字。

憂慮的定義

　　韋氏字典對於憂慮的定義如下：「不及物動詞：感覺不安
或困擾……；及物動詞：使感覺焦慮，苦惱或困擾……；名
詞：……持續擔憂的來源。」[1] 我還聽過有人將之定義爲：以
困擾的想法自我折磨。

　　當我聽到「以困擾的想法自我折磨」這種說法時，當下就
覺得自己高明多了。我相信每個基督徒亦是如此；信主的人有
一定程度的智慧，而不致坐困愁城自我折磨。

　　憂慮決不能改善任何事，所以何不放棄它呢？

　　還有另一種定義也給了我亮光：「喉嚨被對方的牙齒咬
住，並加以甩動或撕裂，如同動物彼此間的攻擊方式，或遭受
連續抓咬及啃噬的攻擊。」[2]

　　我細思這段定義後，有了以下的聯想——魔鬼運用憂慮在
我們身上所做的，完全符合上述情節。當憂慮發生時，即使只
持續數小時，我們的感受正是如此——好像有人攫住我們的喉
嚨，再搖撼我們，直到我們耗盡體力而不支。紛至沓來而纏繞
緊箍住我們的思緒，就像連續抓咬及啃噬的攻擊。

　　憂慮絕對是來自撒但對我們心思所展開的攻擊。有一些關
於心思的教導和指示是信主之人應該去做的，而仇敵絕不會袖

手旁觀任由我們照做。所以魔鬼就嘗試把各樣錯謬的思想灌輸給我們，使我們的心忙碌不堪而致無暇充分發揮神起初創造時的功能。

我們會在下一章再討論對付心思所該做的事，但現在讓我們繼續對憂慮的研究，直到得著完全的啟示，以明白它實際上是多麼地無用。

當我們感覺憂慮來襲時，最好讀讀馬太福音六章 25 ～ 34 節。讓我們一節一節拆開來看，以明白主在這個重要的議題上要對我們說些什麼。

生命不勝於物質嗎？

> 「所以我告訴你們，不要為生命憂慮吃什麼，喝什麼；為身體憂慮穿什麼。生命不勝於飲食嗎？身體不勝於衣裳嗎？」（馬太福音六章 25 節）

生命品質的高低，在於我們是否能盡情享受其本質。耶穌在約翰福音十章10節中說：「盜賊來，無非要偷竊、殺害、毀壞；我來了，是要叫羊得生命，並且得的更豐盛！」撒但企圖用各種方法從我們身上偷走這樣的生命──方法之一就是憂慮。

馬太福音六章25節教導我們，生命之中沒有需要憂慮的事──從任何角度來看都沒有！神所供應的生活品質絕佳，足以含括所有其他的一切。然而我們若憂慮這些事，不但會失去這一切，還要賠上祂期待我們擁有的生活。

你們不比飛鳥貴重得多嗎？

「你們看那天上的飛鳥，也不種，也不收，也不積蓄在倉裡，你們的天父尚且養活牠，你們不比飛鳥貴重得多嗎？」（馬太福音六章 26 節）

花一點時間來賞鳥，也許對我們有點益處。這正是神告訴我們要去做的事。

即使不能每天，至少有時間就可觀察，提醒自己這些成天飛來飛去的鳥兒受到多麼好的照顧。牠們並不知道下一頓的著落，然而，我從未見過哪隻樹梢上的鳥兒會因為憂慮而精神崩潰。

主耶穌在這裡所強調的重點其實很簡單：「你們不比飛鳥貴重得多嗎？」

即使你的自我評價再低，也該相信你比一隻鳥貴重許多，看看你的天父是如何眷顧牠們的。

憂慮能使你得到什麼？

「你們哪一個能用思慮使壽數多加一刻呢？」（馬太福音六章 27 節）

我們很快就可以抓到這段話的重點，憂慮不但一無是處，更不能成就任何美好的事。若果如此，何必憂慮，何必擔心呢？

何必如此擔心？

「何必為衣裳憂慮呢？你想野地裡的百合花怎麼長起
來，它也不勞苦，也不紡線；然而我告訴你們，就是所
羅門極榮華的時候，他所穿戴的，還不如這花一朵呢！
你們這小信的人哪！野地裡的草今天還在，明天就丟在
爐裡，神還給它這樣的粧飾，何況你們呢！」（馬太福
音六章 28 ～ 30 節）

耶穌用受造物之一來舉例說明祂的重點，野地的花不費任
何功夫就可以得到如此的照料，它的美甚至遠勝過所羅門王極
榮華時一身的穿戴。如此，我們當然可以相信自己必蒙眷顧，
必得供應。

因此，不要憂慮或不安！

「所以不要憂慮說，吃什麼？喝什麼？穿什麼？」（馬太
福音六章 31 節）

我喜歡在這節經文裡再加一個問句：「做什麼？」
我想撒但派出牠的差役也不用做什麼，只要成天在基督徒
的耳朵旁重複這些句子就夠了。牠們以各種疑難雜症煽動基督
徒，我們就浪費寶貴的時間嘗試尋找答案。魔鬼不斷在我們心
思的戰場裡掀起戰事，企圖使基督徒捲入既損兵折將又耗費成
本的長期抗戰。

　　請注意在第31節的部分經文裡，神指示我們不要憂慮。記住，「心裡所充滿的，口裡就說出來。」（馬太福音十二章34節）仇敵知道，如果牠能在我們心裡塞進夠多的錯謬，這些東西遲早會從我們的口裡冒出來。我們口中的言語十分重要，因為言語會確認我們有信心──或是缺乏信心。

尋求神，而非恩賜

> 「這都是外邦人所求的，你們需用的這一切東西，你們的天父是知道的；你們要先求祂的國和祂的義，這些東西都要加給你們了。」（馬太福音六章32～33節）

　　神的兒女與世人顯然大不相同！世人追求物質，我們追求的則是神。祂已經應許如果我們這樣做，祂會把一切所需用的都加添給我們。

　　我們要學習尋求神的面，而非祂賞賜的恩手！

　　我們的天父樂於將美物賞賜給祂的兒女，只要它們不會成為我們追求的目標。

　　在我們祈求前，神就已經知道我們的需要。我們只要讓祂知道我們的需求（參考腓立比書四章6節），祂就會在適當的時機應允我們。憂慮幫不上一點忙。事實上，它只會攔阻我們的腳步。

一天的難處一天當就夠了

> 「所以，不要為明天憂慮，因為明天自有明天的憂慮，

一天的難處一天當就夠了。」（馬太福音六章 34 節）

我喜歡把憂慮和不安形容為：用今天的時間來猜想明天的事。讓我們學習按著神的心意，善用祂所賞賜的時間。

生命是活在每一個此時此刻中。

不幸的是，絕少人知道如何盡情地過每一天，而你也可以成為其中的一份子。耶穌說：撒但——我們的仇敵，牠來是要偷竊你的生命（參考約翰福音十章 10 節）。別容許牠再這麼做！別浪費今天的時間去擔心明天的事。今天已有夠多要忙的事，需要你的全神貫注。神在你身上的恩典夠你處理今日所有的需要，明日的恩典在天明之前不會來到——所以，別浪費今天了！

不煩惱也不焦慮

「應當一無掛慮，只要凡事藉著禱告、祈求和感謝，將你們所要的告訴神。」（腓立比書四章 6 節）

這是另一個在憂慮展開攻勢時，可以默想的好經文。

我要強力提倡在口中宣告神的話。神的話是兩刃的利劍，必需揮舞用以抵擋仇敵（參考希伯來書四章12節；以弗所書六章 17 節）。當攻擊來臨時，劍在鞘中是發揮不了作用的。

神已經把祂的話賞賜給我們，使用它吧！要學習像這樣的經文，當仇敵攻擊時，拿起耶穌也使用過的相同兵器——神的話——迎頭痛擊牠吧！

趕走想像

「將各樣的計謀，各樣攔阻人認識神的那些自高之事，一概攻破了；又將人所有的心意奪回，使他都順服基督。」（哥林多後書十章5節）

當你的思想使你無法認同神的話語時，命令仇敵閉上嘴巴最好的方式，就是宣告神的話語。

基督徒帶著信心，由口中發出神的話語，是贏得憂慮不安之戰惟一最有效的兵器。

將憂慮卸給神

「所以，你們要自卑，服在神大能的手下，到了時候，祂必叫你們升高。你們要將一切的憂慮卸給神，因為祂顧念你們。」（彼得前書五章6～7節）

當仇敵試圖丟給我們一個問題時，我們有特權可以把它丟給神。「丟」（cast）這個字的意思，是把它像球一樣地投或擲出去。我們可以把問題像球一樣投或擲給神，相信我，祂會接住的。祂知道該怎麼處理。

這段經文讓我們知道，自我謙卑的意思乃是不要憂慮。憂慮的人仍認為他總有辦法解決自己的問題。憂慮是意念急速地運轉，試圖為自己的處境找出解決的方法。驕傲的人充滿自我，而謙卑的人充滿神。驕傲的人憂慮，而謙卑的人等候。

　　惟有神能拯救我們，祂要我們知道這點。所以，在每一種景況裡，我們即刻的回應就是倚靠祂，進入祂的安息。

神的安息

「我們的神啊，祢不懲罰他們嗎？因為我們無力抵擋這來攻擊我們的大軍，我們也不知道怎樣行，我們的眼目單仰望祢。」（歷代志下二十章 12 節）

　　我喜愛這段經文！經文中的人其處境已達到一個地步，並且領悟到三件確定的事：

一、他們無力抵抗仇敵；
二、他們不知當如何行；
三、他們必須仰望神。

　　在同一段描述中的第 15 ～ 17 節，我們看到：當他們有了這層領悟並完全將之陳明給神後，主立即告訴他們：

「不要因這大軍恐懼驚惶，因為勝敗不在乎你們，乃在乎神。明日你們要下去迎敵，……這次你們不要爭戰，要擺陣站著，看耶和華為你們施行拯救。」

　　「要擺陣戰著……」，我們的戰鬥位置在哪裡？其一是住在耶穌裡，進入神的安息。再則是把眼目定睛於神，持續等候祂，照祂所指示的一切去做，警誡肉體的輕舉妄動。

　　提到進入「神的安息」，我想這麼說：沒有對立則無所謂「神的安息」。

　　為了更清楚地說明，我要分享一則我聽來的故事。有兩名藝術家同時受到邀請，以平安為主題畫出他們個人的感受。其中一名畫家畫了一座平靜無波的湖，隱密在遠山中。另一名畫家則畫了一座氣勢磅礴、水勢洶湧的瀑布，有一株樺木兀自斜立在其中，樹枝上有一隻鳥靜靜地安歇在鳥巢裡。

　　哪一幅畫最能表現平安？答案是第二幅畫，因為如果沒有對照就顯不出平安來。第一幅畫所表現的是靜謐，它所呈現出來的景緻可說是風平浪靜中的寧靜，讓人產生前往休養生息的欲望。它也許是一幅美麗的景色，卻不能表達出「神的安息」。

　　耶穌說：「我留下平安給你們，我將我的平安賜給你們，我所賜的，不像世人所賜的。」（約翰福音十四章27節）祂的平安是屬靈的平安，祂的安息——並非是在風雨平息後，乃是呈現在暴風雨肆虐中。耶穌來並不是要挪去生命中所有的對立，而是幫助我們對於生命中的風暴能有不同的面對方式。我們當負祂的軛，學祂的樣式（參考馬太福音十一章29節）。意即我們要學祂的樣式，以祂的樣式迎向生命。

　　耶穌並不憂慮，所以我們也不需憂慮。

　　你若在停止憂慮前期待生命中無憂慮之事，恐怕你有得等了，因為那一天永遠也不會來臨的。我這麼說並非消極，只是誠實以對！

　　馬太福音六章34節建議我們不為明天憂慮，是因為一天自有一天的難處。耶穌既然這麼說了，祂當然是絕不可能消極的。在暴風雨中享受神的安息而得平安更能榮耀主，因為如此

一來更加證明祂的方式的確奏效。

憂慮！憂慮！憂慮！

我曾經浪費了好多年的生命，憂慮我無能為力之事。我真希望時光能夠倒流，好讓我以不同的方式來面對那些事。然而你一旦用盡了神所給你的時間，想討回來或是換個做事方式都是不可能了。

想反地，外子從不憂慮。有些時候我會惱羞成怒，因為他從不跟我一起擔心，也不加入我消極的談論，諸如神不會成就、不會滿足我們的需要云云。譬如說，我會坐在廚房裡，兩眼直盯著帳單與支票本，愈來愈沮喪，因為帳單金額比存款餘額還高。而戴夫則在隔壁房間裡跟孩子們玩，他一面看電視，一面任由孩子們在他背上跳上跳下，還把我的髮捲捲到他頭上去。

我還記得自己用很不高興的口氣對他說：「你怎麼不過來想想辦法，我已經傷透腦筋了，而你還在玩！」當他回答我：「你要我怎麼做？」時，我總是火冒三丈，我們的經濟狀況已到絕望的谷底了，他怎麼還有心情玩。

戴夫總會安撫我，提醒我：神總是滿足我們的需要，我們只要做該做的部分（什一奉獻、甘心祭、禱告和相信）神必會繼續祂的部分。（我必須澄清，當我憂慮的時候，戴夫則充滿信心。）通常在這種情況下，我會走進房間加入戴夫和孩子們，然而不一會兒，那些想法又會潛回我心裡，我又開始：「但我們該怎麼辦？我們要拿什麼來支付這些帳單？萬一⋯⋯」

然後，我就會看見悲慘的災難像電影情節一般，一幕幕出

現在我的在想像中——房子遭到法院拍賣、車子被沒收，還有不斷向親戚朋友伸手求援的窘境。你看過這樣的「電影」，或者類似的念頭不斷地在你腦海裡閃過嗎？一定有，否則你不會看這本書。

張牙舞爪地發表完魔鬼透過我所轉播的餘興節目之後，我會晃回廚房，拿出所有的帳單、計算機和支票本，再度埋首在一堆數字裡。我會愈算愈沮喪，接下來，先前那一幕又會再度上演！我會對著戴夫和孩子們大吼大叫，因為當我扛起家中所有「責任」時，他們卻忙著玩樂！

事實上我所扛的並非責任，而是神特別吩咐我們可以卸給祂的重擔。

如今當我回首來時路時，才明白我在早年的婚姻生活中，平白浪費了許多祂所賞賜的晚間時刻。祂所賞賜的時間是寶貴的禮物，我卻雙手奉上給了魔鬼。你的時間掌握在你手中，明智地善用它，就不會重蹈我的覆轍。

神用各種方式滿足我們一切的需要，祂從不會讓我們失望，一次也不會。神是信實的！

不要憂慮，要相信神

「你們存心不可貪愛錢財，要以自己所有的為足；因為主曾說：『我總不撇下你，也不丟棄你。』」（希伯來書十三章5節）

當你擔心神是否供應，是否能即時滿足你的需用時，這是自我激勵的絕佳經文。

　　主透過這段經文讓我們知道，我們不需花心思在金錢上，忖度如何為自己安排，因為祂會替我們照料這些事。祂曾應許總不撇下我們，也不丟棄我們。

　　做你該做的部分，別試圖去做神的工作。那個擔子太過沉重，你一不小心，就可能被壓垮。

　　別擔心。「你當倚靠耶和華而行善，住在地上，以祂的信實為糧。」（詩篇卅七篇3節）

　　這是神的應許！

注釋

1.Webster's II New Riverside Dictionary, s.v. "worry."

2.The Random House Dictionary, s.v. "worry."

13 論斷、批判、懷疑的心

你們不要論斷人，免得你們被論斷。

（馬太福音七章 1 節）

　　人生中的許多痛苦是來自於論斷、批判和懷疑。人與人之間無以數計的關係遭受這類的仇敵摧毀。而心思又再度成為其逞兇的戰場。

　　像是「我認為……」這類的想法可以成為魔鬼的工具，而使人感覺到被孤立。人們不喜歡與那些在每件事上都一定要發表意見的人相處。

　　我曾認識一位婦人，她的丈夫是一個財力雄厚的生意人。他大部分時候都很安靜，而她卻希望他能多說點話。他的知識很豐富，當他們一同出現在一些場合裡，若有人開始一個話題，而這個話題正好又是他的專長，他大可發表一番真知灼見以增長大家的見聞，而他卻一言不發時，這位太太總是氣呼呼的。

　　一天晚上，他們兩人赴宴回家後，她開始發難：「那些人說話的時候你怎麼都不開口，把你所知道的告訴他們？你就光坐在那兒，好像什麼都不懂似的！」

　　「我所知道的他們已經知道了，」他答道：「我試著安靜傾聽，讓我可以學到別人所懂的東西。」

　　我可以想像這正是他何以如此富有的原因。不僅如此，他

還很富有智慧！極少懂得賺取財富的人是沒有智慧的，也極少
有人不在人際關係中運用智慧而可以擁有朋友。

　　論斷、堅持己見、和批判，是三種瓦解人際關係的利器。
撒但當然希望我們遭受孤立和拒絕，所以牠會在這三方面攻擊
我們。希望本章的內容能幫助我們辨認出錯誤的思想，並且學
習如何對付懷疑。

論斷的定義

　　在威氏新舊約字辭註解辭典裡，被譯為「評斷」（judgment）
的希臘字中，有一個字的部分定義是「關於他人錯誤的定
論」，它的相關同義字為「定罪」（condemnation）。[1]根據同樣的
資料來源，被譯為「論斷」（judge）的希臘字中，有一個字的部
分定義是「評論」，它的相關同義字為「判決」（sentence）。[2]

　　神是惟一有權利的定罪或判決者，因此，當我們互相論斷
時，若以某種形式來說，就是自升為高，且在他人的生命中扮
演神的角色。

　　我不知道對你而言是如何，但這個說法讓我產生一點「出
於敬畏神的懼怕」。我的膽子還不小，但我可不打算成為神！
這些問題曾經是我個性中的主要缺陷，我相信我可以分享神對
我的一些教導，成為你的幫助。

　　批評、評論和論斷彼此間似乎有所關聯，所以我們把這三
者放在一起成為一個大主題來討論。

　　我曾經是個喜歡批評的人，因為我似乎總是看得到對方的
短處而非長處。有些人的個性特別傾向於這個缺點，然而有些
樂觀的人只看得到生命中「快樂而有趣」的一面，所以他們真

的不太注意煞風景的事。愈是鬱鬱寡歡或是主導性強烈的人，愈是容易一眼就看到短處；一般而言，有這種個性的人通常都不吝於分享關於他們對人的消極評論及觀感。

我們一定要明白，各人對於事情各有一套看法。我們喜歡告訴別人我們的想法，而這正是重點——我的想法對我來說也許是對的，但對你不盡然是對的，反之亦然。我們當然都知道「不可偷盜」是對的，沒有人會有爭議，但我在這裡所說的是指，每人都曾遭遇到的、千百種並無所謂對錯而只在乎個人抉擇的狀況。這些抉擇是人們在沒有外在干預下有權自行作決定的。

外子和我在許多事上的看法，簡直可說是南轅北轍。如何佈置房子就是其中之一。並不是我們彼此不喜歡對方的選擇，但如果我們一起去買家用品，我們看中的東西似乎永遠不一樣。原因很簡單，因為我們是兩個不同的人。他的意見跟我的一樣好，我的意見相較於他也沒什麼不對，只是我們的意見不同而已。

我花了好幾年的時間才明白，戴夫並沒有什麼不對勁的地方，他只不過是和我意見不同而已。理所當然地，我也讓他知道，他不能接受我的意見讓我覺得他大有問題。我的態度顯然造成彼此間許多的摩擦，也傷害了我們的關係。

驕傲：「我」的問題

「我……對你們各人說，不要看自己過於所當看的；要照著神所分給各人信心的大小，看得合乎中道。」（羅馬書十二章 3 節）

論斷和批評的病灶是另一個更嚴重的問題——驕傲。當我們裡面的「我」超過應有的份量，就會造成所討論的這些問題。聖經重複地警告我們自高之事的嚴重性。

當我們在某個領域裡表現優異時，是因為神的恩賜使然。倘若我們自高、自大、自以為是，會造成我們輕看別人，將他們視為「不如」我們。這種心態和想法最令主厭惡，並且在我們生命中為仇敵開了許多扇門。

敬而遠之

「弟兄們，若有人偶然被過犯所勝，你們屬靈的人，就當用溫柔的心把他挽回過來；又當自己小心，恐怕也被引誘。你們各人的重擔要互相擔當，如此，就完全了基督的律法。人若無有，自己還以為有，就是自欺了。」
（加拉太書六章1～3節）

仔細檢視這段經文，很快就可知道在別人的弱點上我們當如何反應。它為我們應保持的心態設了尺度。我們對於驕傲應該要有一種「敬而遠之」的恐懼，並且慎於批評以免造成論斷。

你是誰，竟論斷呢？

「你是誰，竟論斷別人的僕人呢？他或站住，或跌倒，自有他的主人在；而且他也必要站住，因為主能使他站住。」（羅馬書十四章4節）

　　讓我們這樣想吧：當你的鄰居跑來你家門口，開始教訓你應該給你的孩子穿什麼衣服去上學，或是她覺得他們應該修什麼課時，你會有何反應？或者，假如你的鄰居走進門來告訴你，她不喜歡你的女傭打掃房子的方式，你會怎麼回答她？

　　這正是本節經文的重點。每個人都是屬神的，即便有軟弱，祂自有辦法使我們站立起來，並且使我們稱義。個人是向神負責，而非彼此監督；因此，我們不該以批評的方式彼此論斷。

　　魔鬼不時忙著差遣邪靈在人的意念裡散播論斷批評的思想。我還記得自己以前常坐在公園或購物中心裡，光是一面看著人來人往，一面針對著他們的衣著、髮型、身邊的同伴而在心裡品頭論足一番，就可以讓我樂上好半天。我們很難避免自己不產生意見，但卻不一定要表達出來。我相信，我們更可以成長到不需有那麼多意見，即使有意見也非出於批判。

　　我常常對自己說：「喬依絲，這不關你的事。」當你不斷思索你的意見直到它變成一種論斷時，嚴重的問題就開始在你心裡醞釀發酵。你愈想，它就愈發地長大，直到你把它表達出來，甚至面對你所論斷的人時也隱藏不住。最後，它就好像在你的人際關係上投了一顆殺傷力十足的炸彈，在屬靈的領域裡亦然。為避免將來的問題，你只要學著說：「這不關我的事。」

　　在我的家庭裡，論斷和批評是家常便飯，可以說它們是「陪著我長大」的。或許你也有相同的背景，這種情況就好像是用瘸腿來踢球一樣。我一直嘗試跟神「踢皮球」；我想照祂的方式行事、思考、為人，但我做不到。在我懂得「要改變行為就要先對付內心的堅固營壘」前，我著實過了好幾年可悲的生

活。

記住，在你的心態改變之前，你的行為是不會改變的。馬太福音七章1～6節是關於批評、論斷的經典經文之一。當你的心態在這方面出現問題時，讀讀這些經文。不但讀，還要大聲朗誦出來作為兵器，以抵擋企圖在你心思裡築起營壘的魔鬼。牠也許可以操作早已在你內心屹立多年的營壘，使它啟動。

讓我們來看看這段經文，我會分點、分項逐一地提出我的看法。

論斷的種與收

「你們不要論斷人，免得你們被論斷，因為你們怎樣論斷人，也必怎樣被論斷；你們用什麼量器量給人，也必用什麼量器量給你們。」（馬太福音七章1～2節）

這段經文只是簡單地說明：「人種的是什麼，收的也是什麼。」（加拉太書六章7節）種與收的原則不單只是應用在農業和經濟的範疇，在心理層面上的道理亦相通。就像栽種五穀和投資金錢會有所回收一樣，我們的心態亦然。

我認識的一位牧師說，當他聽到有人以不友善或論斷的方式談論他時，他會自問：「這是他們的栽種，還是我的收成？」有時，我們生命中的收成是自己先栽種在別人身上的。

醫生，救你自己吧！

「為什麼看見你弟兄眼中有刺，卻不想自己眼中有樑木

呢？你自己眼中有樑木，怎能對你弟兄說：『容我去掉
你眼中的刺』呢？你這假冒為善的人！先去掉自己眼中
的樑木，然後才能看得清楚，去掉你弟兄眼中的刺。」
（馬太福音七章3～5節）

魔鬼喜歡讓我們保持忙碌——忙著在心裡論斷人的錯處。
如此，我們對自己的錯就視而不見，更無暇對付了。

我們無法改變別人；惟有神可以做到。同樣地，我們也無
法改變自己，但我們可以與聖靈同工，讓祂來完成工作。然
而，任何得釋放的第一步，都是要去面對主嘗試向我們顯明的
事實。

當我們對他人有不當的想法和言論時，通常會被蒙蔽而看
不見自己。所以，耶穌命令我們不要著眼在別人的錯處上，因
為我們自己也犯了許多的錯。讓神先來對付你，好讓你學會以
聖經的原則來幫助弟兄在基督裡成長。

彼此相愛

「不要把聖物給狗，也不要把你們的珍珠丟在豬前，恐怕
牠踐踏了珍珠，轉過來咬你們。」（馬太福音七章6節）

我相信這節經文是關乎神所賜給我們的彼此相愛的能力。

神命令我們要彼此相愛，如果你我有能力去做，卻不去
行，甚至還批評、論斷人時，我們就是把聖物（愛）丟在狗和
豬（邪靈）的前面。我們為牠們開了一扇門，讓牠們踐踏聖
物，還轉過來將我們撕成碎片。

我們需要看見「行在愛中」可以保護我們抵擋魔鬼的攻擊。我不相信魔鬼可以對真正行在愛中的人造成什麼傷害。

當我懷有第四個孩子時，我已經是個基督徒了。我受過聖靈的洗，蒙召服事，同時也是個用功讀聖經的學生。我已經學習如何操練得醫治的信心。然而在我懷孕的最初三個月，我卻孕吐得很厲害。我的體重減輕，體力消退，大部分的時間都躺在沙發上，只覺得噁心、疲憊，連動都不能動。

這種情況讓我十分困惑，因為我在前三次的懷孕經歷中感覺都很好。當時我並不太了解神的話語，我有教會的生活，卻不太把信心運用在任何事上。而這一次是在我很熟悉神應許的情況下懷孕的，但我卻很不舒服，再多的禱告和斥責魔鬼的爭戰都沒有挪去我的病痛！

有一天當我躺在床上，聽到後院傳來外子和孩子們玩得很開心的笑聲，我氣急敗壞地問神：「我究竟是怎麼一回事？為什麼我病得這麼嚴重？為什麼我沒有好起來？」

聖靈催促我讀馬太福音第七章。我問主，這些經文對我和我的健康有什麼關係。我一直覺得我應該一遍又一遍地讀。最後，神開啟我的記憶，讓我想起數年前所發生的事件。

我曾經負責主領並教導一個家庭聖經班，其中有一個年輕的女士珍。珍一直很認真地參加每一次的課程，直到她懷孕了，後來她就很難固定參與，因為她總是覺得疲憊、不舒服。

那天當我躺在床上，我想起我和另一位姊妹當時是怎麼議論珍的，我們說她「就是不能咬牙撐一撐」，好好地來上聖經課程。我們從未用任何方式幫助她，只是認定她是個弱者，用懷孕作為藉口來遮掩她的懶散和自我放縱。

現在，我的景況與兩年前的珍一樣。神向我顯明，雖然我

前三次的懷孕過程很順利，但當我批評、論斷珍時，我向魔鬼敞開了一扇又大又寬的門。我拿了我的珍珠，也就是聖物（我愛珍的能力），丟在狗和豬身上，現在它們轉過來將我撕成碎片。我要告訴你，當時我很快就悔改了。當我一悔改，立刻恢復健康，身體狀況在剩下的孕期中都十分順利。

從此事件中，我學到一門很重要的功課，就是批評、論斷他人所帶來的危險。我真希望我能說，自此我再也不犯同樣的錯。但很遺憾，我不得不坦承，之後我還犯了很多次相同的錯。每一次，神都會對付我，為此我深深感恩不已。

我們都會犯錯。我們都有軟弱。聖經上說，我們不能硬著心腸，彼此以批判的靈相待；相反地，要以恩慈相待，存憐憫的心彼此饒恕，正如神在基督裡饒恕了我們一樣（參考以弗所書四章32節）。

論斷帶來定罪

「你這論斷人的，無論你是誰，也無可推諉。你在什麼事上論斷人，就在什麼事上定自己的罪；因你這論斷人的，自己所行卻和別人一樣。」（羅馬書二章1節）

換句話說，我們所論斷人的事，我們自己也在做。

有一次，神給我一個很好的例子，幫助我了解這個原則。我正在想，為何有時當我們自己做某些事的時候會義正辭嚴，換成別人做時卻被我們批評得體無完膚。祂說：「喬依絲，你透過有色眼鏡看自己，看別人時卻拿著放大鏡。」

我們會為自己的行為找藉口，然而當有人做出與我們所做

的相同之事時，我們就顯得很無情。我們願意別人如何對待我們，就得如何待別人（參考馬太福音七章12節），這是最好的生命原則，若是照做將可避免許多的批評論斷。

論斷的意念是消極意念的副產品——只看到人的缺點卻看不見優點。要積極，別消極！

別人會因你而受益，然而你所得到的益處會更勝於任何人。

保守你的心

「你要保守你心，勝過保守一切，因為一生的果效是由心發出。」（箴言四章23節）

你若想要湧出生命的泉源，就得保守你的心。

有些想法是信主之人「不能去想的」——論斷和批評即是。神想教導我們的一切，都是為了我們的好處和幸福。跟隨祂的道帶來結實纍纍；跟隨魔鬼的路則帶來敗壞。

從懷疑而起的疑心

「愛是……凡事包容，凡事相信，凡事盼望，凡事忍耐。」（哥林多前書十三章7節）

坦白說，要我順服這段經文經常是一個挑戰。我的成長背景讓我生性多疑。事實上，我得到的教導是不該信任任何人，特別是假意對我好的人，這種人通常有其企圖。

除了被教導對人和人的動機必須有所懷疑之外，我還經歷

許多對人的失望，它們發生在我成為活躍的基督徒之前，之後亦然。默想愛的構成要素，並且明白愛是凡事相信，對我重新建立心態大有助益。

當你的心思已被毒化，當撒但已在裡面攻城掠地時，你需要根據神的話語而心意更新——藉由學習和默想（思索，對己喃喃自語，想念）神的話語。

當要想往錯誤的方向發展時，聖靈便會在我們裡面作出提醒。當我的思想充滿對人的懷疑而非對人的愛時，神會對我有所提示。老我的想法是：「如果我信任人，只有被佔便宜的份。」也許是吧，但往後所得的益處卻會遠勝過任何負面的經驗。

信任和忠實能帶來生命中的喜樂，並增進人與人之間的關係使臻美好。

疑心會危害整個人際關係，甚至摧毀它。

至終的關鍵是：神的方式大有功效；人的方式則否。神譴責論斷、批評和懷疑，我們也應該如此。愛神所愛，惡神所惡；包容祂所包容的，棄絕祂所棄絕的。

平衡的心態是最好的對策。這並不代表與人的相處不能使用智慧和分辨力。我們並不需要對每個人都祖裎相待，以致人人都有機會壓榨我們。反之，我們也不需要用負面懷疑的眼光去看每一個人，永遠預期別人會來佔我們的便宜。

對神全然相信，對人慎思明辨

「當耶穌在耶路撒冷過逾越節的時候，有許多人看見祂所行的神蹟，就信了祂的名。耶穌卻不將自己交託他

們，因為祂知道萬人；也用不著誰見證人怎樣，因祂知
道人心裡所存的。」（約翰福音二章 23～25 節）

有一次，當我經歷令人失望的教會問題後，神讓我注意到
以上的經文。

這段經文是談到耶穌和門徒的關係。裡面說到祂不將自己
交託他們，這並不是說耶穌懷疑或不信任他們，乃是因為祂了
解人性（我們都有）；祂並不以失去平衡的方式把自己交託給
人。

我學到一個好教訓。我在教會裡受到很深的傷害，因為我
過度投入一個婦女團契以致失去了平衡。每當我們失衡時就為
魔鬼開了一道門。

彼得前書五章8節說：「務要謹守，儆醒。因為你們的仇
敵魔鬼，如同吼叫的獅子，遍地遊行，尋找可吞吃的人。」

我過度倚賴團契裡的姊妹們，把她們放在專屬神的信任位
階裡。人與人之間的關係是有限度的，若超越智慧的考量就會
滋生問題，而我們則會從中受到傷害。

永遠將你全然的信任放在神身上。這麼做會為聖靈敞開
門，當你越過平衡線時，祂會讓你知道的。

有些人會將懷疑誤認為慎思明辨。有一個聖靈的恩賜被稱
為辨別諸靈（參考哥林多前書十二章 10 節）。它能分辨善與
惡，並非僅僅辨認出惡而已。懷疑來自未經更新的意念；慎思
明辨則來自靈的更新。

為真恩賜來禱告——並非假冒聖靈恩賜的屬肉體才幹。分
辨的靈會引發禱告的動力，而不是閒話。一個實際存在的問題
若是由辨別諸靈的能力所分辨出來的，它會以屬靈的方式來處

理，而非以屬肉體的方式散播問題，甚至把問題更複雜化。

良言使人甘甜而得醫治

「智慧人的心教訓他的口，又使他的嘴增長學問。良言如同蜂房，使心覺甘甜，使骨得醫治。」（箴言十六章23～24節）

言語和心思如同骨與骨髓──密不可分（參考希伯來書四章12節）。

我們的心思如同無聲的言語，只有我們自己和主聽得到，但這些思想會影響我們的內在，我們的健康、喜樂和態度。我們心裡所想的經常會脫口而出，不幸的是，這些思想有時會讓我們顯得愚昧。論斷、批評和懷疑絕不會帶來喜樂。

耶穌說，祂來是要叫人得生命，並且得的更豐盛（參考約翰福音十章10節）！開始以基督的心為心，你將會步入全新的生命領域。

注釋

1.W. E. Vine, Vine's Expository Dictionary of Hebrew and Greek Words (Old Tappan: Fleming H. Revell, 1981), Vol. 2: E-Li, p.281.

2.W. E. Vine, Vine's Expository Dictionary of Hebrew and Greek Words (Old Tappan: Fleming H. Revell, 1981), Vol. 2: E-Li, p.280.

14 被動的心思

我的民因無知識而滅亡。

（何西阿書四章 6 節）

　　若從被動的層面來看，上述經文就顯得更爲眞實。大部分基督徒根本不熟悉被動這個詞語，也不知該如何去分辨徵狀。

　　「被動」是「主動」的相對狀態。它是一個危險的問題，因爲神的話清楚地教導我們，我們必須謹守、儆醒，並且主動（參考彼得前書五章 8 節）——要將裡面的恩賜如火挑旺起來（參考提摩太後書一章 6 節）。

　　我讀過多種關於「被動」這個詞的定義，我將之形容爲缺少感動、缺少渴慕、漠不關心、不冷不熱，以及懶惰，邪靈乃是背後的推手。惡者知道，無力、不能運用意志會使信徒起來奮力反抗。只要一個人用他的意志來抵抗惡者，仇敵就無法贏得爭戰。但是，如果他落入被動中，他的問題就大了。

　　許多信徒在情感上認定，只要缺少感動，就可以不做當做的事。他們願意的時候才讚美，願意的時候才施捨，願意的時候才守承諾——如果心裡不願意，他們就不做。

空的地方也是地方！

「也不可給魔鬼留地步。」（以弗所書四章 27 節）

我們往往留給撒但一個空曠之處。一個空洞、被動的心思很容易被注滿各式各樣錯誤的心思。

一個心思被動而且不抗拒這些錯誤心思的信徒，往往會將這些心思當成自己的心思。他不明白邪靈之所以將這些心思注入他的心中，是因為他的心裡有空間可以填滿。

讓錯誤心思遠離你心的方法之一，就是讓你的心裡充滿正確的心思。魔鬼可以被趕逐出去，但是牠會在無水之地過來過去，尋求安歇之處。路加福音十一章24～26節說，當牠回到其老家而發現裡面空無一物時，便會帶著其他的鬼魔和牠一起回來，那個人後來的景況就比先前更不好了。基於此因，除非已經學會如何「填滿空處」，否則我們絕不會嘗試將一個人心中的邪靈趕逐出去。

這並不是說每個擁有邪惡心思的人，都擁有邪惡的靈魂。但是，邪惡心思的背後往往有邪靈在主導。一個人可以不斷地拋下自己的想像，但是這些想像會一再地出現，除非他學會以正確的心思填滿其空處。因此，當仇敵回來時，牠在那個人的心裡就找不到任何空間可以停留。

有積極的罪，或稱之為行為的罪；也有被動的罪，就是怠慢的罪。換句話說，我們有做錯的事，也有知道對而不做的事。舉例而言，說話未經大腦可能會破壞關係，但是若忽略了當說而未說的感激之言，也可能破壞關係。

被動的人以為他沒有做錯事，因為他什麼事都沒做。在遭人質疑其錯誤時，他會說：「我什麼都沒做！」他的分析是對的，但是他的行為是錯的。正因為他什麼事都沒做，問題才會產生。

勝過被動

　　幾年以前，我的丈夫戴夫也有被動的問題。有一些事他會主動參與。他每週一至週五去上班，週六打高爾夫球，週日則觀賞足球賽。除了這些事情之外，很難鼓勵他去做別的事。如果我請他把一幅畫掛在牆上，他可能要花三到四週的時間才能完成此事。這件事在我們之間造成極大的摩擦。在我看來，他只做他願意做的事，此外他什麼事都不做。

　　戴夫愛神，當他來到神面前將問題交給祂時，神讓他看到被動及其危險性。他發現在他不願主動的行為背後，有邪靈在運作。在某些領域裡他沒有問題，因為他在這些領域中持守他的意志；但是，在其他的領域中，當他採取不主動的態度時，基本上相當於將意志交給了仇敵。他在那些領域中遭受壓迫，而且已經進入一個完全沒有渴望、沒有「願意」、沒有動機可以幫助他完成工作的地步。

　　研讀神的話語和禱告，是其他兩個處於被動的領域。由於我知道他並沒有尋求神的指引，因此我很難聽從他。而我一向有悖逆的問題，你可以看出魔鬼如何利用我們的弱點來對付彼此。許多人只因為這一類的問題就離婚了。他們真的不明白問題出在哪裡。

　　事實上，我過度積極。我總是憑血氣跑在神前面，「做我自己的事」，並且期待神祝福我所做的事。戴夫除了等候神之外，他不太採取行動，這種作法令我極端不滿。如今我們回想自己過去的樣子時，都會覺得好笑，但在那時候並不覺得有趣；假如不是神吸引了我們，我們可能已經成為離婚數據中的

一部分了。

戴夫會告訴我，我總是趕在神的前面，而我的回應則是說他落在神後面數哩之遙。我過度積極，戴夫則過度被動。

當信徒在任何他擁有才幹或天份的領域中採取被動的態度時，他的才幹就會開始退化，或是變得動彈不得。一個人愈不做事，就愈不想做事。最好的例子之一就是運動。

目前我參加一個很好的運動計畫，我運動得愈多，就愈加容易。剛開始是非常困難的，每當我依照計畫去行，總是覺得很痛苦，因為我一直缺乏運動，而且在運動方面採取被動的態度已經有很長一段時間。我愈少運動，我身體狀況就變得愈來愈軟弱，因為沒有運用我的肌肉。

戴夫開始看到自己的問題了！他開始對付因著長時間不活動而壓迫他的邪靈。當聖靈向他啟示這個真理時，戴夫決定他要再次活動起來、積極起來，不再懶惰或拖延。

做決定是容易的，實踐才是困難的部分。實踐所以困難，在於那一向被動的領域必須開始「運動」，直到它再度恢復強壯。

他開始在早上五點鐘起床，在上班之前讀聖經及禱告。戰鬥開始了！魔鬼不想放棄牠已經攻佔的土地，牠也不會未經戰鬥就束手就擒。戴夫會起床親近神，然後在沙發上睡著了。即使有些早晨他睡著了，他仍然有進步，因為他決意起床，並試圖建立禱告生活。

有些時候他會覺得無聊，有些時候他覺得自己毫無進展，他不明白自己所讀的內容，或是覺得他的禱告不蒙垂聽。但是，他仍然堅持下去，因為聖靈啟示他看到這種稱為「被動」的情形。

　　我開始注意到，當我需要戴夫去掛圖畫或是修理房子的某處時，他會立刻回應。他再度開始主動思考，並且自己做決定。許多時候他覺得不想動，甚至想要順其自然。但是他超越自己的感覺及肉體的渴望。他愈是根據自己所知的正確做法去行動，就享受到愈多的自由。

　　我必須誠實地告訴你們，對他而言那並不容易。他並不是在幾天或幾週之內就得到自由。被動是最難以勝過的狀況之一，因為正如我先前提過的，沒有任何感覺可以提供支援。

　　戴夫在神的幫助下繼續堅持，現在的他一點都不被動。他是「生命真道」事工的主管，監督所有廣播和電視的播出，並負責事工中所有的財務工作。他和我全時間旅行，並且決定旅行的時程。他也是一位優秀的顧家男人。他禱告，並且規律地花時間讀神的話語。簡言之，他是一個配得尊敬和羨慕的男人。

　　他仍然打高爾夫球和看運動節目，但是他也做其他應該做的事。現在認識他、看到他所做的一切事之後，沒有人想得到他曾經那麼被動。

　　被動是可以勝過的。但是，勝過被動的第一步是要勝過意志中的被動。戴夫在下定決心、並且改變他的思考方式之前，是無法獲得任何改善的。

正確的思想帶來正確的行為

「不要效法這個世界，只要心意更新而變化，叫你們察驗何為神的善良、純全、可喜悅的旨意。」（羅馬書十二章 2 節）

在神的話語中，透露出一個生動的原則：正確的心思帶來正確的行爲。除非一個人明白並且應用這個原則，否則他無法行走在得勝之中。

容許我用另外一個方式來表達這句話：除非你改變你的心思，否則你不會改變你的行爲。

在神的秩序中，必須先有正確的心思，接著才會有正確的行爲。我認爲正確的行爲或行動是正確心思的「果子」。大部分信徒掙扎著要做對的事，但是果子並非掙扎的產物。果子是連結於枝子的結果（參考約翰福音十五章4節），而連結於枝子就必須順服（參考約翰福音十五章10節）。

當我教導這個原則時，我總是引用以弗所書四章 22 ～ 24 節。第22節說：「要脫去你們從前行爲上的舊人，這舊人是因私慾的迷惑漸漸變壞的。」

第24節繼續說：「並且穿上新人；這新人是照著神的形像造的，有眞理的仁義和聖潔。」

因此，基本上第22節告訴我們不要再有不適當的行爲，而第 24 節則告訴我們要開始正確的行爲。但是第 23 節正是我所謂的「橋接經文」。它告訴我們如何從第22節（行爲不當）進入第 24 節（行爲適當）：「又要將你們的心志改換一新。」

若是不先改變心思，就不能從錯誤的行爲轉變爲正確的行爲。被動的人也許會想做正確的事，但是除非他刻意讓自己的心思活潑起來，並以神的話語和旨意爲準則，否則他永遠也做不到。

我想到的例子之一，是一個曾經在我的研討會中加入禱告網的男人。他有情慾的問題。他確實愛他的妻子，也不希望他們的婚姻被毀，但是他的問題必須先解決，否則他勢必會毀了

他的婚姻。

「喬依絲，我有情慾的問題。」他說：「我就是無法遠離其他的女人。你能否為我得著釋放而禱告？我已經禱告了很多次，但似乎沒有任何改善。」

聖靈提醒我告訴他：「好，我會為你禱告，但是你必須負責管理出現在你心思中的畫面。如果你真要得享自由，就不能允許色情畫面在你的心思中成形，或是想像你和其他的女人在一起。」

就像這個男人一樣，其他人也立時明白，為何即使他們想要得到自由，卻仍然無法經歷突破的原因：他們想要改變行為——但是不願改變心思。

心思往往是人們「與罪共舞」的地方。耶穌在馬太福音五章27～28節中說：「你們聽見有話說：不可姦淫。只是我告訴你們，凡看見婦女就動淫念的，這人心裡已經與她犯姦淫了。」罪行的道路是透過罪惡的思想來舖設的。

某位參加我第一次家庭查經班的女士，她已經委身給主，而且希望她的家庭和婚姻能夠改善。她生活中的一切事情都是一團糟——家庭、孩子、婚姻、財務，以及身體狀況等等。她公開地說她不愛其丈夫；事實上，她根本就厭惡他。她知道她的態度不討神喜悅，她願意愛他，但她就是無法忍受待在他的身邊。

我們禱告，她也禱告，每個人都禱告！我們和她分享經文，給她錄音帶聽。我們用盡一切所知道的方法，即使她依照我們的建議去做，卻似乎沒有什麼進展。哪裡出了差錯？在一次協談的過程中，才發現她的一生都在做白日夢。她一直想像一個童話故事，她是故事裡的公主，白馬王子會在下班時帶著

鮮花和糖果回家，用他對她的愛情擄獲她的心。

　　她整天都沉浸在這種想法裡面，當那疲倦、過重、全身是汗、骯髒（還少了一顆牙齒）的丈夫下班回到家時，她就厭惡他。

　　思想一下這個情形。那個女人已經重生，但是她的生活仍然一團糟。她想要順服神，為祂而活，她也願意愛她的丈夫，因為她知道那是神的心意。她願意在生命和婚姻中得勝，但是她的思想打敗了她。除非她開始採取「確實的思想」，否則就不可能勝過她對丈夫的厭惡。

　　她的心靈活在一個並不存在、也絕對不可能存在的世界裡。因此，她完全沒有準備好要面對事實。她有著被動的思想，而且因為她並沒有根據神的話語來選擇她自己的思想，邪靈因而在她的思想中注入不正確的思想。

　　只要她以為這些思想是她自己的，並且享受它們，她就永遠無法經歷得勝。當她改變想法之時，她的生活才會開始改觀。她改變心中對丈夫的態度，他也開始改變他的外表，以及對她的態度。

思念上面的事

「所以，你們若真與基督一同復活，就當求在上面的事；那裡有基督坐在神的右邊。你們要思念上面的事，不要思念地上的事。」（歌羅西書三章 1～2 節）

　　我們再次看到同樣的原則：如果你想要活出耶穌賜給我們的復活生命，就要將思想放在屬天的事，尋找擁有能力的新生

命，而不能再思念屬地的事。

使徒保羅的意思就是，如果你我想要擁有美好的生命，就必須將心思放在美善的事上。

許多信徒想要擁有美好的生命，但是他們卻被動地坐著，希望好事會發生在他們身上。他們往往嫉妒那些活在勝利中的人，並且因為自己的生命如此艱難而感到憤怒。

如果你盼望能夠勝過你的問題，如果你真的想要活出復活的生命，你必須有骨氣，而不能只想憑運氣！你必須主動──不能被動。正確的行為從正確的心思開始，你的心思不能被動，今天開始就要選擇正確的心思。

15 基督的心

> 誰曾知道主的心去教導祂呢？
> 但我們是有基督的心了。
> （哥林多前書二章16節）

我相信，現在的你已經做了一個確切的決定，要選擇正確的思想。因此，我們要根據主的原則一同來思考，哪些思想才是正確的。當然，耶穌在世上時，有許多類型的思想絕對不會出現在祂的腦海中。我們若要跟隨祂的腳蹤，就必須開始像祂一樣地去思想。

現在你可能會想：「那是不可能的，喬伊思，耶穌是完全人。我的思想也許可以改善，但我的想法絕對不可能像祂一樣。」

但是，聖經告訴我們，我們是有基督的心──有新的心和靈魂。

新的心和靈魂

「我也要賜給你們一個新心，將新靈放在你們裡面，又從你們的肉體中除掉石心，賜給你們肉心。我必將我的靈放在你們裡面，使你們順從我的律例，謹守遵行我的典章。」（以西結書卅六章26～27節）

身為基督徒，你我都獲得新的本性，亦即重生時，神放在我們裡面的本性。

從這段經文中可以看出，神知道：我們若要聽從祂的命令，並行走在祂的律例之中，祂必須將祂的靈賜給我們，並且給我們一顆新的心（及思想）。羅馬書八章6節提到肉體的思想和聖靈的思想，並且告訴我們：順從肉體的結果就是死亡，而順從聖靈的結果就是生命。

只要學習如何分辨生命和死亡，我們就可以獲得極大的進步。

假如某件事會令你走向死亡，就不要再去做。當某些思想使你心中充滿死亡的氣息時，你立刻就知道那不是聖靈的思想。

容我舉例說明。假設我想到有一個人令我遭受不公平的待遇，然後我開始生氣，我開始想，我有多麼討厭那個人。如果我用心分辨就會發現，我的心中已經充滿了死亡的氣息。我變得憤怒、緊張，承受極大的壓力——我甚至可能經歷到生理上的不適：頭痛、胃痛或過度勞累，都可能是我錯誤思想的結果。相反地，假如我思想的是我得到多麼大的祝福，以及神對我多麼好，我也會知道自己被生命的氣息所充滿。

對一個信徒而言，分辨裡面的生命和死亡是非常有幫助的。耶穌將祂的心放在我們裡面，讓我們心中充滿生命。我們可以選擇讓生命中洋溢著基督的心。

我們在接下來的篇幅中要討論：欲使生命充滿著基督的心，可以採取哪些行動。

積極的思想

「二人若不同心，豈能同行呢？」（阿摩司書三章3節）

　　一個人如果用基督的心去思想，他的思想會是什麼樣子呢？有一點可以肯定：他的思想會是積極的。在先前的章節中，我們已經討論過積極思考的絕對必要性。你甚至必須回到第5章去複習一下積極思考的重要性。即使身為作者，但在重新閱讀第5章時，我仍然獲得很大的幫助。

　　積極思想的力量絕對不容小覷。神是積極的，如果你我想要充滿基督的心，就必須與祂同心，並且開始積極地思考。我所說的並不是練習控制思想，而是指要成為一個在各方面都保持積極態度的人：要有積極的態度和展望；保持積極的思想和期待；參與積極的談話。

　　耶穌當然表現出積極的態度和展望。祂忍受許多難處，包括針對個人的攻擊——被人欺騙、在最需要的時候被門徒遺棄、被嘲笑、孤單、被誤解，還有許多令人氣餒的事。但是在面對這些痛苦的事件時，祂仍然保持積極的態度。祂的話語永遠充滿進取心，充滿鼓勵；祂總是為接近祂的每一個人帶來希望。

　　基督放在我們裡面的心是積極的心；因此，每當我們變得消極時，就不是用基督的心來行事。數百萬人因沮喪而痛苦，而我認為，若是沒有消極的態度就不會沮喪——除非是基於藥物的因素。即使在這種情況下，持消極態度只會使問題和它的症狀益發嚴重。

　　根據詩篇三篇3節所說，神是我們的榮耀，是使我們抬起頭來的。祂要高舉我們的一切：我們的希望、我們的態度、我們的情緒、我們的頭、手和心——我們的整個生命。祂是高舉我們的至聖者！

　　神要高舉我們，魔鬼則要貶抑我們。撒但利用我們生命中

的負面事件和環境來貶抑我們。在字典裡，沮喪這個字的定義
是「心靈的陰霾；變爲悲傷」。根據韋氏字典，沮喪的狀態是
「下降至低於周圍的環境：凹陷」。沮喪代表下沈、下壓，或
是被放在低於地面之處。我們經常有機會想到消極的事，但是
它們只會變本加厲地壓抑我們。消極不能解決問題；它只會加
深問題。

勝過沮喪

詩篇一四三篇3～10節描述沮喪的情形，以及勝過沮喪的
方法。我們一同詳細查考這段經文，看看可以採取哪些步驟來
勝過敵人的攻擊：

找出問題的本質及原因

> 「原來仇敵逼迫我，將我打倒在地，使我住在幽暗之
> 處，像死了許久的人一樣。」（詩篇一四三篇3節）

在我看來，「住在幽暗之處，像死了許久的人一樣」當然
是描寫一個沮喪的人。注意沮喪的原因或來源；這種對靈魂的
攻擊，乃是來自撒但。

明白沮喪會竊取生命和光明

> 「所以，我的靈在我裡面發昏；我的心在我裡面悽慘。」
> （詩篇一四三篇4節）

沮喪壓抑一個人的靈魂，使人失去自由及力量。

神的靈賜力量給我們，並激勵我們，我們的靈是強壯而自由的。因此，撒但想在我們的思想中注入黑暗和悽慘，藉此壓制它的力量及自由。請你明白，當你發現「沮喪」的感覺出現時，必須立刻抗拒它，這是非常重要的。你允許它停留的時間愈長，就愈難抵抗它。

回想美好的時光

「我追想古時之日，思想祢的一切作為，默念祢手的工作。」（詩篇一四三篇5節）

在這一節裡，我們看到詩人對他景況的反應。追想、思想及默念都是思想的作用。很顯然地，詩人知道他的思想會影響他的感覺，因此他不斷思想能夠幫助他勝過一切攻擊思想之事。

在困難中讚美神

「我向祢舉手；我的心渴想祢，如乾旱之地盼雨一樣。」（詩篇一四三篇6節）

詩人知道讚美的重要；他舉起雙手來敬拜。他宣告他真正的需要——他需要神。只有神能夠令他感到滿足。

人之所以如此容易感到沮喪，是因為他們有需求，然而卻往往到錯誤的地方去尋找滿足，結果只加重了他們的問題。

在耶利米書二章13節，神說：「因為我的百姓作了兩件惡事，就是離棄我這活水的泉源，為自己鑿出池子，是破裂不能存水的池子。」

只有神能夠令乾渴的心靈得到滿足。不要中了撒但的詭計，以爲還有其他事物能夠令你完全滿足。追逐錯誤的目標只會令你失望，而失望則開啓了沮喪的大門。

尋求神的幫助

「耶和華啊，求祢速速應允我！我心神耗盡！不要向我掩面，免得我像那些下坑的人一樣。」（詩篇一四三篇7節）

詩人尋求幫助。基本上他的意思是：「快一點，神，因爲若是沒有祢，我無法再支撐下去。」

聆聽神的聲音

「求祢使我清晨得聽祢慈愛之言，因我倚靠祢；求祢使我知道當行的路，因我的心仰望祢。」（詩篇一四三篇8節）

詩人知道，他必須聽見神的話語。他必須確信神的愛和仁慈。他需要神的照顧和指引。

為得釋放禱告

「耶和華啊，求祢救我脫離我的仇敵！我逃祢那裡藏身。」（詩篇一四三篇9節）

詩人再次宣告，只有神能夠幫助他。
請注意，在整個交談的過程中，他將心思專注在神身上，

而不是在問題上。

尋求神的智慧、知識和帶領

> 「求祢指教我遵行祢的旨意，因祢是我的神。祢的靈本
> 為善；求祢引我到平坦之地。」（詩篇一四三篇 10 節）

詩人指的也許是他已經遠離神的旨意，因此開啟了攻擊他心靈的大門。他要行在神的旨意中，因為他現在知道那是惟一安全的地方。

然後，他求神幫助他站得安穩。我相信他所說的：「求祢引我到平坦之地」，指的是他不安的情感。他要站在平坦之地──而不是上下起伏不定。

使用你的武器

> 「我們爭戰的兵器本不是屬血氣的，乃是在神面前有能
> 力，可以攻破堅固的營壘，將各樣的計謀，各樣攔阻人
> 認識神的那些自高之事，一概攻破了，又將人所有的心
> 意奪回，使他都順服基督。」（哥林多後書十章 4～5 節）

撒但利用沮喪，將數百萬人拖進黑暗和絕望的深淵之中。自殺往往是沮喪的結果。自殺的人往往思想變得非常消極，以致他完全看不見未來的盼望。

記住：消極的感覺來自消極的思想。

心思是戰場，是決定戰鬥勝負的地方。今天就選擇積極的態度──放下所有消極的想像，讓你的心思都順服耶穌基督

（參考哥林多後書十章 5 節）。

心中有神

「堅心倚賴祢的，祢必保守他十分平安，因為他倚靠
祢。」（以賽亞書廿六章 3 節）

耶穌和祂的天父有著持續穩定的關係。你若不將心思專注
在一個人身上，就不能和這人擁有完全的關係。假如我丈夫和
我一起坐在車子裡，他和我說話，但是我的心思卻放在別的事
情上，我們就不是擁有真正的關係，因為我並沒有將全部的注
意力放在他身上。因此，我相信我們可以如此說：一個人如果
擁有基督的心，他的思想會專注於神，以及神一切大能的作
為。

默想神和祂的作為

「我在床上記念祢，在夜更的時候思想祢；我的心就像
飽足了骨髓肥油，我也要以歡樂的嘴唇讚美祢。」（詩
篇六十三篇 5 ～ 6 節）

「我也要思想祢的經營，默想祢的作為。」（詩篇七十七
篇 12 節）

「我要默想祢的訓詞，看重祢的道路。」（詩篇一一九 15 節）

「我追想古時之日，思想祢的一切作為，默念祢手的工

作。」（詩篇一四三篇 5 節）

詩人大衛經常提到默想神，默想祂的良善、祂的作爲和道路。思想神的良善及祂手所行的一切奇妙工作，是極大的激勵。

我喜歡收看關於大自然、動物、海洋生物等等的電視節目，因爲它們描述神的偉大及可畏，祂無限的創造力，以及祂如何用祂的大能托住萬有（參考希伯來書一章 3 節）。

如果你想要經歷得勝，默想神和祂的道路及作爲，就必須成爲你思想生活中的常態。

我最喜愛的經文之一是詩篇十七篇15節，詩人在其中如此描述神：「我醒了的時候，得見祢的形像就心滿意足了。」

我經歷過許多不快樂的日子，因爲每早晨我一醒來，就只想到所有不對勁的事。自從聖靈幫助我，使我靠著基督的心（聖靈的思想）來行事爲人之後，我真的可以說已經心滿意足。在清晨時與神交通，是確實幫助我們開始享受生命的方法之一。

與神交通

「然而，我將眞情告訴你們，我去是與你們有益的；我若不去，保惠師就不到你們這裡來；我若去，就差祂來。」（約翰福音十六章 7 節）

這些話是耶穌離開世上、回到天上、在榮耀中坐在父神右邊之前所說的話。聖經清楚地記載，神的心意是要我們與祂有

密切的關係。

沒有別的事物比我們的思想更能接近我們。因此，我們的思想中若充滿了神，就能意識到神的同在，並且會開始享受與祂的關係，爲每天的生活帶來喜樂、平安和勝利。

祂一直與我們同在，就如祂所應許的一般（參考馬太福音廿八章20節；希伯來書十三章5節）。但是除非我們思想祂，否則便不會察覺祂的存在。即使我和另一個人共處一室，如果我的思想放在其他許多的事上，我可能會逕自離去，根本不知道房間裡還有另外一個人。我們都擁有與神相交的特權；祂一直與我們同在，但我們必須思想祂，才能體會到祂的同在。

要有「神愛我」的思想

「神愛我們的心，我們也知道也信。神就是愛；住在愛裡面的，就是住在神裡面，神也住在他裡面。」（約翰一書四章16節）

我們必須思想神的同在，對神的愛也是如此。我們如果從來不曾默想祂的愛，就無法經歷到祂的愛。

在以弗所書第三章，保羅的禱告是讓人經歷神對他們的愛。聖經說神愛我們，但有多少神的子女仍然無法了解神的愛？

我回想當初進行「生命眞道」事工的那段時間。我要在第一週舉行一個聚會，因此我問神要我傳講什麼眞理。祂回答說：「告訴我的子民，我愛他們。」

「他們知道這件事。」我說：「我想教導他們一些很有能力的眞理，而不是根據約翰福音三章16節預備的主日學課

程。」

神對我說：「在我的子民當中，很少人確實知道我有多麼愛他們。他們如果知道，所表現的行為就會不一樣。」

當我開始研讀「接受神的愛」這個主題時，我知道連我自己都有極深切的需要。在我研經之時，神帶領我看到約翰一書四章16節，這節經文說我們應該知道神的愛。這表示神的愛應該是我們主動察覺的一件事。

關於「神愛我」這件事，我只有模糊的認知，但是神的愛原是要在我們的生命中成為一股強大的力量，能夠帶領我們經過最艱難的試煉，進入勝利。

在羅馬書八章35節，使徒保羅勉勵我們：

「誰能使我們與基督的愛隔絕呢？難道是患難嗎？是困苦嗎？是逼迫嗎？是飢餓嗎？是赤身露體嗎？是危險嗎？是刀劍嗎？」

然後在第37節中，他繼續說：「然而，靠著愛我們的主，在這一切的事上已經得勝有餘了。」

我花了很長的時間來研讀這方面的經文，透過思想及大聲宣告神的愛，我開始知道並體會神對我的愛。我研讀有關神愛的經文，默想這些經文，並且用口宣告這些經文。我一再地做這些事達數月之久，祂對我毫無條件的愛就愈發顯得真實。

現在，祂的愛是如此地真實，即使在困苦的時候，我也能夠因著確信祂的愛而不需再活在恐懼之中並且受到安慰。

不要懼怕

「愛裡沒有懼怕；愛既完全，就把懼怕除去。」（約翰一
書四章 18 節）

神對我們的愛是完全的，無論我們的本相為何。羅馬書五
章 8 節告訴我們：「惟有基督在我們還作罪人的時候為我們
死，神的愛就在此向我們顯明了。」

靠著基督的心行事為人的信徒，不會思想他們自己有多糟
糕；他們的思想以神的義為基礎。你應該體會神的義，經常思
想你「在基督裡」的身分。

思想義，不要思想罪

「神使那無罪的，替我們成為罪，好叫我們在祂裡面成
為神的義。」（哥林多後書五章 21 節）

許多信徒因著對自己的負面想法，而承受極大的苦楚。他
們只想到，神因為他們的軟弱和失敗是多麼不喜悅他們。

你浪費了多少時間活在罪惡感和責備之中？注意，我說的
是你浪費了多少時間，因為這一類的思想正是如此：浪費時
間！

在你來到基督面前以先，不要思想你有多麼糟糕。相反
地，要思想你在祂裡面如何得稱為義。記住：思想轉變為行
動。如果你想要擁有更好的行為，就必須先改變你的想法。如

果你不斷地思想你有多麼糟糕，你的行爲只會變得更糟糕。每當負面、責備的想法進入你心時，就要提醒自己：神愛你，你已經在基督裡成爲義了。

你應該如此運用你的思想！

以神的話語爲根據，愼重地思想；不要將出現在你心中的所有想法照單全收，以爲那就是你自己的想法。

斥責魔鬼，開始思想正確的事，然後大步向前。

擁有鼓勵的心

「或作勸化的，就當專一勸化。」（羅馬書十二章8節）

擁有基督的心的人會對其他人抱持積極、振奮、啓發的思想，他對自己和周遭環境也是如此。

這個世代極需要鼓勵的事工。然而你若不先對一個人抱持仁慈的想法，你將永遠也無法鼓勵他。記住，你心裡所充滿的，口裡就會說出來。你必須刻意做一些「愛的思考」。

對其他人發出愛的思想。向他們說鼓勵的話語。

威氏新舊約字辭註解辭典將希臘文的「parakaleo」（鼓勵）定義爲：「主要意義爲呼喚一個人（para：到旁邊；kaleo：呼叫）……提醒、鼓勵、激勵一個人去追求某種行動的方向……。」我將這個定義解讀爲與一個人同行，並且激勵他奮力向前，追求行動的方向。一個人是否擁有羅馬書十二章8節中所說的勸化恩賜，可以輕易地看出來。他們總是向所有人說一些鼓勵或振奮的話——安慰他們的心，並且鼓勵他們繼續走下去。

並非每個人都擁有勸化的恩賜，但是任何人都可以學習鼓

勵他人。最簡單的原則就是：這件事如果不好，就不要想它或
說它。

　　每個人的問題已經夠多了，我們不需要再把他們撕裂，增
加他們的麻煩。我們應該在愛中彼此建造（參考以弗所書四章
29節）。別忘了：愛永遠相信每個人最好的一面（參考哥林多
前書十三章7節）。

　　當你開始思想其他人的可愛之處時，你會發現他們的行為
更加可愛。思想和話語是帶有創造力或毀滅力的容器或武器。
它們可以用來對付撒但和牠的工作，也可幫助牠進行破壞的計
畫。

　　假設你有一個行為偏差的孩子，他絕對需要改變。你為他
禱告，並且祈求神在他的生命中動工，進行任何必要的修剪。
在等候的時間裡，你對他該持有何種思想，對他說哪些話語？
許多人從來無法得見其禱告得蒙應允，因為他們在神有機會動
工之前，就用自己的想法和話語否定了所祈求的內容。

　　你是否為你的孩子祈求改變，卻沉浸在各種關於他們的負
面思想中？或是你祈求神動工改變孩子的行為，然而你心中的
想法，甚至和他人的對話中都表示：「這個孩子永遠也不會改
變！」如果你想要活在勝利中，就必須先讓你的思想和神的話
語一致。

　　*我們的思想如果和聖經的記載背道而馳，就不是行走在神
的話語中。我們如果不是用神的話語來思想，就不是行走在神
的話語中。*

　　當你為某人禱告時，你的思想和話語要和你的禱告內容一
致，如此就會開始看到突破。

　　我並不是要你矯枉過正。如果你的孩子在學校裡行為不

檢，有位朋友問你禱告後的情況如何，而事實上若是沒有任何改變，你該怎麼回答？你可以說：「嗯，我們還沒有看到突破，但是我相信神正在動工。我們會看到他漸漸地、一天一天地改變。」

培養感恩的心

「當稱謝進入祂的門；當讚美進入祂的院。當感謝祂，稱頌祂的名！」（詩篇一〇〇篇 4 節）

一個充滿了基督之心的人會發現，他的心裡充滿了讚美與感恩。

埋怨使許多門戶向仇敵敞開。有些人的肉體生病，有些人過著軟弱無力的生活，都源自這種以人的思想及話語為攻擊對象、稱為「埋怨」的疾病。

一個充滿能力的生活不能沒有感恩。聖經一再用感恩的原則來教導我們。在思想或話語中埋怨是死亡的行為模式，而心中感恩和表達感恩則是生命的行為模式。

一個人若沒有感恩的心，他的口裡就不會說出感恩的話語。當我們心裡感恩時，就會把它說出來。

隨時感恩

「我們應當靠著耶穌，常常以頌讚為祭獻給神，這就是那承認主名之人嘴唇的果子。」（希伯來書十三章15節）

我們何時獻上感恩？隨時——在所有景況中，在每件事情

上。當我們這樣做時，就是進入魔鬼無法掌控的得勝生活中。

我們如果無論在何種景況下，都能喜樂並感恩，牠如何能夠控制我們？當然，這種生活方式有時需要獻上讚美或感恩的祭，但我寧可將我的感恩獻給神，也不願將我的喜樂獻給撒但。我已經知道（透過困難的方式），如果我的性格乖戾、拒絕感恩，那麼至終我將失去我的喜樂。換句話說，我會將喜樂拱手讓給埋怨的靈。

在詩篇卅四篇1節，詩人說：「我要時時稱頌耶和華；讚美祂的話必常在我口中。」我們如何成為讚美神的人？就是讓祂的讚美不斷充滿在我們的思想和口中。

要做一個感恩的人——不但對神充滿感恩，對其他人也充滿感恩。若是有人在你身上做了美事，要讓對方知道你的感激。

向你的家人表達感激。我們常常將神對我們的祝福視為理所當然。如果你想失去一樣東西，最好的方法就是不心存感激。

我感激我的丈夫。我們已經結婚很久了，但是我仍然向他表達我的感激。他是個在許多方面很有耐心的人，而且有其他許多極好的特質。讓他人知道我們的感激，甚至明白地指出令我們感謝的事情，有助於建立及維持良好的關係。

我接觸過許多人，一直令我感到驚奇的是，有些人因著一些做在他們身上極小的事情而感恩，有些人則是永遠無法滿足，無論別人為他們做了多少事。我相信驕傲和這個問題有一點關係。有些人非常自滿，無論別人為他們做了什麼，他們都認為自己不僅配得這些事，而且配得更多！他們很少表達感激。

表達感謝不但於對方有益處，對我們自己也有益處，因為這樣做可以釋放在我們裡面的喜樂。

每天默想你必須感恩的事。在禱告中向神陳明這些事，當你這麼做時，必會發現自己的心充滿了生命和亮光。

隨時為每件事感恩

「不要醉酒，酒能使人放蕩；乃要被聖靈充滿。當用詩章、頌詞、靈歌、彼此對說，口唱心和的讚美主。凡事要奉我們主耶穌基督的名常常感謝父神。」（以弗所書五章 18～20 節）

多麼有能力的一段經文！

你我如何能夠一直保持聖靈充滿？就是以詩章、頌詞和靈歌向自己（透過我們的思想）或向他人（透過我們的話語）彼此對說。換句話說，將我們的思想和言語放在神的話語之上，並且充滿神的話語；隨時隨地為每一件事情感恩。

牢記神的話

「你們並沒有祂的道存在心裡；因為祂所差來的，你們不信。」（約翰福音五章 38 節）

神的話語就是祂的思想，寫在紙上供我們研讀和思想。祂的話語就是祂對所有情境和主題的想法。

在約翰福音五章38節，耶穌責備的是一群不信者。我們從這段經文中看見，神的話（聖經）是透過文字來表達祂的思想，一個人如果想要相信並經驗信仰的一切好處，必須讓神的話語在他的心中成為活的信息。這個目標要靠默想神的話語來

達成。這就是讓祂的話語成為我們思想的途徑，是使我們裡面的基督之心成長的惟一方法。

約翰福音一章14節說，耶穌是道成了肉身。若非祂的心未曾間斷地充滿神的話語，這件事就不可能發生。

默想神的話是最重要的生活原則之一。威氏新舊約字辭註解辭典將譯為「默想」的希臘文做了如下的定義：「……在乎」、「傾聽，實踐」、「喜悅」、「履行話語的精神」、「思想，想像」、「事先考慮……」另外一個資料來源，則增加了「低聲說」或「輕聲細語」等定義。

這個原則實在太重要了。我稱它為生命的原則，因為默想神的話語可以令你得著生命，至終可以令你周遭的人得著生命。

許多基督徒害怕「默想」這個字，乃是因為異教徒和神祕宗教也採用默想這種方式。但我希望你記得，撒但從來不曾擁有自己原創的想法。牠扭曲原本屬於光明國度的東西，以供黑暗國度使用。我們必須有足夠的智慧才能明白：如果默想能夠為邪惡的一方產生如此強大的力量，那麼它也可以為良善產生強大的力量。聖經直接地啟示默想的原則，讓我們來看看聖經對這件事情的說法。

默想及昌盛

「這律法書不可離開你的口，總要晝夜思想，好使你謹守遵行這書上所寫的一切話。如此，你的道路就可以亨通，凡事順利。」（約書亞記一章8節）

在這段經文中，神明白地告訴我們，我們若不先在心中實

踐神的話，就不能身體力行神的話。

詩篇一篇2～3節提到虔誠的人，說：「惟喜愛耶和華的律法，晝夜思想，這人便爲有福！他要像一棵樹栽在溪水旁，按時候結果子，葉子也不枯乾。凡他所作的盡都順利。」

默想及得醫治

「我兒，要留心聽我的言詞，側耳聽我的話語，都不可離你的眼目，要存記在你心中。因爲得著他的，就得了生命，又得了醫全體的良藥。」（箴言四章 20 ～ 22 節）

「默想」這詞的定義之一是「傾聽」。再思想這一段經文，它說神的話語是健康及醫治的來源。

在心中默想（思想、默念）神的話，會對我們的身體產生實質的影響。過去十八年來，我的外表改變了。人們告訴我，相較於我尚未開始辛勤地研讀聖經、並將它視爲一生焦點的那些日子，我至少年輕了十五歲。

聽與收

「你們所聽的要留心。你們用什麼量器量給人，也必用什麼量器量給你們，並且要多給你們。」（馬可福音四章 24 節）

這就像種與收的原則。我們種得愈多，收割時就可以收得愈多。神在馬可福音四章 24 節告訴我們，愈是花費時間去思

想及研讀所聽見之神的話語，愈能得到神話語的好處。

讀和收割

> 「因為掩藏的事，沒有不顯出來的；隱瞞的事，沒有不露出來的。」（馬可福音四章 22 節）

這兩句經文放在一起，清楚地告訴我們：聖經裡面藏有極多神要向我們顯明的寶藏，是能夠賜予生命的大能奧祕。它們要顯露給那些在心中默想、思想、研讀、回想、實踐及默唸神話語的人。

身為聖經教師，我親身經歷這個原則的真實性。神透過聖經向我啟示的真理似乎永無窮盡。我初次研讀一段經文的時候得到一種啟示，當我再度研讀它時會得到新的啟示，甚至是我從前根本沒有注意到的真理。

神不斷地向那些認真讀聖經的人啟示祂的奧祕。不要成為只懂得按照別人的啟示生活的人。你應該自己研讀聖經，讓神用聖經真理來祝福你的生命。

我可以不斷地講述「默想神的話語」這個主題。正如我先前所說的，那是你我可以學習的最重要原則之一。在一天當中，當你進行日常事務時，求聖靈幫助你想起經文來，讓你能夠默想它們。你會驚訝地發現，這樣的做法可以為你的生命帶來多少力量。你愈默想神的話語，愈能在困難之時從神的話語中得著力量。記住：實踐聖經的力量來自操練默想聖經。

領受及歡迎神的話

「所以，你們要脫去一切的污穢和盈餘的邪惡，存溫柔
的心領受那所栽種的道，就是能救你們靈魂的道。」
（雅各書一章 21 節）

　　在這節經文中，我們看到神的話有力量將我們從罪惡的生
活中拯救出來，但是我們必須領受、歡迎神的話，並將它深植
在我們心中。這種深植的過程透過聆聽神的話來達成——將神
的話語放在心中，遠超過其他任何事物。

　　如果我們一直思想自身的問題，就會愈發深陷其中。倘若
我們思想自己和其他人出了什麼問題，就會更相信這些問題永
遠找不到答案。神的話語就像一片充滿生命的海洋，隨時可供
我們取用，而我們用來汲取的器皿就是辛勤地研讀及默想神的
話語。

　　我們的事工稱為「生命真道」，我可以從經驗中告訴你，
在神的話語中確實有生命。

選擇生命！

「體貼肉體的，就是死；體貼聖靈的，乃是生命、平
安。」（羅馬書八章 6 節）

　　將你的注意力拉到腓立比書四章 8 節，似乎是結束本章的
好方法：「凡是真實的、可敬的、公義的、清潔的、可愛的、

有美名的，若有什麼德行，若有什麼稱讚，這些事你們都要思念。」

你的思想應該處於何種情況，聖經中描寫得很清楚。你有基督的心，就要開始去使用它。如果祂不這麼想，你也不要這麼想。

藉著這種不斷「管理」思想的方式，你可以開始讓所有的思想順服於耶穌基督（參考哥林多後書十章5節）。

如果你的思想開始帶領你走向錯誤的方向，聖靈會很快地提醒你，而接下來的決定在乎你。你要活在肉體中，還是活在聖靈中？一條走向死亡，另一條走向生命。選擇權在你手中。

選擇生命吧！

第三部
曠野性格

引言

從何烈山經過西珥山到加低斯巴尼亞有十一天的路程。

（申命記一章 2 節）

實際上只要十一天的路程，以色列人民卻在曠野漂流了四十年。為什麼？是他們的敵人、環境、路途上的試煉或某些全然不同的事物致使他們無法抵達目的地嗎？

當我思想這個問題時，神賜給我一個強而有力的啟示，不但幫助我個人，也幫助了數千位弟兄姐妹。主對我說：「以色列的子民用四十年的時間在曠野完成十一天的旅程，因為他們擁有『曠野性格』」。

你已經留在這裡夠久了

「耶和華——我們的神在何烈山曉諭我們說：你們在這山上住的日子夠了。」（申命記一章 6 節）

我們真的不該如此驚訝地看著以色列人，因為大部分人的行為和他們一樣。我們不停地繞著同一個山頭，而不是向前走。結果是，我們花費數年的時間才勝過某事，而這件事原本

可以、也應該很快地對付清楚。

我想神在今天對你我說的話，仍然和祂當年對以色列子民說的話相同：「你們在這山上住的日子夠了；該出發了。」

設定你的目標，並且堅持

「你們要思念上面的事，不要思念地上的事。」（歌羅西書三章 2 節）

神啟示我，讓我看見十項「曠野性格」，這些性格使以色列人留在曠野中。曠野性格是一種錯誤的思考態度。

我們的思考態度可能是正確的，也可能是錯誤的。正確的思考態度使我們得益，錯誤的思考態度則傷害我們，並且阻礙我們進步。歌羅西書三章2節教導我們，要決定我們的思想，並且要持守。我們必須將思考態度放在正確的方向上。錯誤的思考態度不但會影響我們的環境，也會影響我們內在的生命。

有些人住在曠野裡，也有些人的生命本身就是曠野。

有一段時間，我的景況並不是真的很糟，但是我無法享受生命中的任何事物，因為我的裡面是「曠野」。戴夫和我擁有一個美好的家庭，三個可愛的孩子，優秀的工作及足夠的金錢，可以過著舒適的生活。但是我卻無法享受我們的祝福，因為我有幾種曠野性格。在我看來，我的生命像是個曠野，因為那正是我看待每一件事物的方式。

有些人用負面的態度來面對事物，因為他們的一生有過不快樂的經歷，無法想像事情會有機會好轉。也有些人以惡劣和負面的態度來看待所有的事情，只因他們的裡面就是這種光

景。無論原因爲何，負面的態度會使一個人活在悲慘之中，無法朝著應許之地前進。

神呼召以色列子民從埃及的禁錮中出來，前往祂應許賜予他們永遠爲業的土地——流奶與蜜之地，以及他們所能想像的一切好東西———一塊不會有任何缺乏的土地、一塊在生活各方面皆豐盛的土地。

蒙神領出埃及的那一代人當中，大部分人無法進入應許之地；相反地，他們死在曠野。對我而言，這是發生在神兒女身上最悲慘的事情之一——擁有如此多的財富，卻永遠無法享有。

我的基督徒生活中，有許多年都像這些百姓一樣。我雖走在通往應許之地（天堂）的道路，但是我並不喜歡這趟旅程。我在曠野裡瀕臨死境。然而，感謝神的恩典，祂是我在黑暗中的光，祂帶領我走出來。

我希望本書的這個部分能夠成爲你的亮光，預備你走出生命的曠野，進入神奇妙國度的榮耀光中。

16 曠野性格之一

「我的未來由我的過去和現在決定。」

沒有異象，民就放肆。

（箴言廿九章 18 節）

　　以色列人對他們的生命缺少正面的異象——沒有夢想。他們知道他們來自何方，但是卻不知道要前往何處。一切都根據他們所看到的，以及能夠看到的事物來作決定。他們不知道如何用「信心的眼睛」去看事情。

蒙揀選得救贖

「主的靈在我身上，因為祂用膏膏我，叫我傳福音給貧窮的人；差遣我報告：被擄的得釋放，瞎眼的得看見，叫那受壓制的得自由，報告神悅納人的禧年。」（路加福音四章 18 ～ 19 節）

　　我出身於受虐的背景，在一個功能不健全的家庭中成長。我的童年充滿了恐懼和虐待。專家說，一個孩子的人格是在生命的前五年裡形成的。我的人格是一團糟！我活在僞裝裡，躲在保護牆的後面；我必須建構這面牆，以免其他人傷害我。我把其他人排拒在外，但是我也將自己深鎖其中。我是一個內心

充滿了恐懼的控制者，以致我面對生命的惟一方法就是一切由我掌權，如此就沒有人能夠傷害我。

身為一個試圖為基督而活、遵循基督徒生活樣式的年輕人，儘管我知道自己來自何處，卻不知道要往哪裡去。我覺得我的未來一定會被我的過去所破壞。我想：「擁有像我一樣過去的人，怎麼可能過得好？那是不可能的！」但是，耶穌說祂來是要拯救生病、心碎、受傷、痛苦，以及被不幸擊垮的人。

耶穌打開監獄的門，讓被擄者得自由。在我開始相信自己可以獲得自由之前，我無法獲得任何進步。我必須對我的生活抱持正面的態度；我必須相信，我的未來不是由過去所決定，甚至我的現在也不能決定未來。

你可能擁有悲慘的過去，甚至可能處於非常消極、沮喪的現狀中。你可能面對極為惡劣的處境，似乎沒有什麼盼望的理由。但我肯定地告訴你，你的未來不是由過去或現在決定的！

接受新的思考態度。相信在神沒有難成的事（參考路加福音十八章27節）；在人或許有些事是不可能的，但我們事奉的神，是一位從虛無中創造出所見萬物的神（參考希伯來書十一章3節）。把你的一無所有交給祂，看祂如何動工。祂需要的只是你對祂的信心。祂只要你相信，其餘的事就交給祂。

眼睛用來看，耳朵用來聽

「從耶西的本必發一條；從祂根生的枝子必結果實。耶和華的靈必住在祂身上，就是使祂有智慧和聰明的靈，謀略和能力的靈，知識和敬畏耶和華的靈。祂必以敬畏耶和華為樂；行審判不憑眼見，斷是非也不憑耳聞。」

（以賽亞書十一章 1～3 節）

　　我們不能憑著肉眼所見而正確地判斷事物。我們必須擁有屬靈的「眼睛」用來觀看，以及屬靈的「耳朵」用來聽聞。我們必須聽見聖靈說的話，而不是世界說的話。讓神對你講述你的未來——不要聽信其他任何人的話語。

　　以色列人不斷觀看及討論過去的事情。神藉摩西的手將他們領出埃及，透過摩西向他們傳講應許之地。祂要他們將眼目定睛在將要前往之地——以及他們已經走了多遠的路程。我們來看看一些清楚描述他們錯誤態度的經文。

問題在哪裡？

「以色列眾人向摩西、亞倫發怨言；全會眾對他們說：巴不得我們早死在埃及地，或是死在這曠野。耶和華為什麼把我們領到那地，使我們倒在刀下呢？我們的妻子和孩子必被擄掠。我們回埃及去豈不好嗎？」（民數記十四章 2～3 節）

　　我鼓勵你仔細閱讀這段經文。注意這些百姓有多麼消極——埋怨、輕易放棄，寧可回到捆鎖之中，也不願經過曠野而進入應許之地。事實上，他們沒有問題，他們自己就是問題！

壞思想產生壞態度

「會眾沒有水喝，就聚集攻擊摩西、亞倫。百姓向摩西

爭鬧說：『我們的弟兄曾死在耶和華面前，我們恨不得
與他們同死。你們為何把耶和華的會眾領到這曠野、使
我們和牲畜都死在這裡呢？』」（民數記二十章2～4節）

我們很輕易就可以在以色列人的話語中看見，他們完全不
信任神。他們擁有消極、失敗的態度。他們尚未出發就認定自
己會失敗，只因為所有的環境都不完美。他們表現出由錯誤的
思想所產生的態度。

壞的態度是壞思想的果子。

缺少感恩的心

「他們從何珥山起行，往紅海那條路走，要繞過以東
地。百姓因這路難行，心中甚是煩躁，就怨讟神和摩西
說：『你們為什麼把我們從埃及領出來、使我們死在曠
野呢？這裡沒有糧，沒有水，我們的心厭惡這淡薄的食
物。』」（民數記廿一章4～5節）

除了在先前的經文中所看到的惡劣態度之外，在這段經文
中，我們也看到以色列人缺少感恩的心。以色列子民就是無法
忘懷他們出來的地方，而且一直認為他們已經走得夠遠了，早
該到達他們的目的地。

他們若是回想其祖先亞伯拉罕，會對他們有極大的助益。
亞伯拉罕一生中經歷過一些令人失望的經驗，但是他沒有允許
這些經驗對他的未來產生負面的影響。

爭吵就沒有生命

「當時，迦南人與比利洗人在那地居住。亞伯蘭的牧人
和羅得的牧人相爭。亞伯蘭就對羅得說：『你我不可相
爭，你的牧人和我的牧人也不可相爭，因為我們是骨
肉。遍地不都在你眼前嗎？請你離開我：你向左，我就
向右；你向右，我就向左。』羅得舉目看見約但河的全
平原，直到瑣珥，都是滋潤的，那地在耶和華未滅所多
瑪、蛾摩拉以先如同耶和華的園子，也像埃及地。於是
羅得選擇約但河的全平原，往東遷移；他們就彼此分離
了。」（創世記十三章 7 ～ 11 節）

亞伯拉罕知道生活在爭吵中的危險，因此他告訴羅得，他
們必須分離。為了行走在愛中，也為了確保未來他們之間不再
發生爭吵，亞伯拉罕讓他的侄子優先選擇要前往哪一座山谷。
羅得選擇了最好的──約但河谷，於是他們就分離了。

我們必須記得，在亞伯拉罕為羅得祝福之前，羅得一無所
有。想一想亞伯拉罕可以採取、但是卻選擇不採取的態度！他
知道，如果他的行為合宜，神會照顧他。

舉目觀看

「羅得離別亞伯蘭以後，耶和華對亞伯蘭說：『從你所
在的地方，你舉目向東西南北觀看；凡你所看見的一切
地，我都要賜給你和你的後裔，直到永遠。』」（創世記

十三章 14 ～ 15 節)

　　這段經文清楚啓示，即使亞伯拉罕和侄兒分離之後，發現自己處於較惡劣的處境當中，神仍然要他從自己所在之處「舉目觀看」，看看神要帶領他前往的地方。

　　亞伯拉罕對於自己的景況抱持合宜的態度，因此魔鬼無法阻擋神對他的祝福。神賜給他的財產超過和侄兒分離之前所擁有的，並且在各方面大大地祝福他。

　　我鼓勵你用積極的態度面對未來的可能性，並且開始信賴那「使無變爲有的神」(參考羅馬書四章 17 節)。你應該根據神放在心中的應許來思想及講論你的未來，而不要根據你在過去所見、甚至現在所見的來思想及講論。

17 曠野性格之二

「別人爲我做了那件事；我不想負責任。」

他拉帶著他兒子亞伯蘭和他孫子哈蘭的兒子羅得，

並他兒婦亞伯蘭的妻子撒萊，

出了迦勒底的吾珥，要往迦南地去；

他們走到哈蘭，就住在那裡。

（創世記十一章 31 節）

責任往往被定義爲對於神之能力的回應。負責任就是回應神放在我們面前的機會。

神給亞伯蘭的父親他拉一個責任，一個回應祂能力的機會。祂將前往迦南的機會放在他面前，但是他沒有一路跟隨主，而選擇停留並定居在哈蘭。

當神第一次對我們說話，並且賜給我們做某件事的機會時，我們很容易感到興奮。但是就像他拉一樣，許多時候我們從來不曾完成這些事，因爲當我們投身其中時，會發現除了興奮和刺激之外，還有其他當負的責任。

大部分的新冒險令人興奮，只因爲它們是新的冒險。興奮可以驅使一個人向前奔走一段時間，但是不能帶領他跑過終點線。

許多信徒的行爲就如聖經所描述的他拉一樣。他們朝著一個目標出發，然後在路上的某個地方定居下來。他們感到疲累

或厭倦；他們想要完成旅程，卻根本不想承擔隨之而來的責任。倘若有別人可以代替他們做這件事，他們會很樂意接受這份榮耀，但這是行不通的。

個人的責任不容推諉

> 「到了第二天，摩西對百姓說：你們犯了大罪。我如今要上耶和華那裡去，或者可以為你們贖罪。摩西回到耶和華那裡，說：『唉！這百姓犯了大罪，為自己作了金像。倘或祢肯赦免他們的罪……。不然，求祢從祢所寫的冊上塗抹我的名。』」（出埃及記卅二章 30 ～ 32 節）

在我的讀經和研究中，我注意到以色列人並不想擔負任何責任。摩西為他們代求；他為他們尋求神，甚至當他們陷入麻煩中時，是摩西代替他們悔改（參考出埃及記卅二章 1 ～ 14 節）。

嬰孩完全沒有責任，但是當嬰孩長大時，他應該要承擔愈來愈多的責任。父母的主要角色之一，就是教導他們的孩子接受責任。神也期待能教導祂的兒女同樣的事。

神給我機會從事全職事工——在全國性的廣播和電視上教導祂的話語，向全美國和其他國家傳講福音。但是我可以向你保證，在這個呼召裡存在著許多人所不明白的責任。許多人說他們想要投入事工，因為他們認為那是一種持續不斷的屬靈經歷。

許多人來到我們的機構求職，以為發生在他們身上最偉大的事情，就是成為基督徒事工的一份子。後來，他們發現自己

必須像在其他地方一樣地工作；他們必須一早起床，準時到達
上班地點，聽從主管的指示，依循每天的常規等等。當人們說
他們想來為我們工作時，我告訴他們，我們並不是整天都飄浮
在雲端，歡頌哈利路亞大合唱——我們工作，而且我們努力地
工作。我們合一同行，並且以專業的態度做我們當做的事。

　　當然，能在福音機構工作是一種特權，但是我試著向求職
的新人表達一件事：當興奮和刺激消褪之際，他們會發現自己
被期待擔負高度的責任。

去看螞蟻！

> 「懶惰人哪，你去察看螞蟻的動作就可得智慧。螞蟻沒
> 有元帥，沒有官長，沒有君王，尚且在夏天預備食物，
> 在收割時聚斂糧食。懶惰人哪，你要睡到幾時呢？你何
> 時睡醒呢？再睡片時，打盹片時，抱著手躺臥片時，你
> 的貧窮就必如強盜速來，你的缺乏彷彿拿兵器的人來
> 到。」（箴言六章 6 ～ 11 節）

　　以色列人這種懶惰的思考態度，是促使他們將十一天的旅
程變成四十年的曠野飄流的原因之一。

　　我喜歡讀箴言中的這段經文，它將我們的注意力拉到螞蟻
身上；牠們沒有任何上司或工頭，卻為自己和家人供應所需。

　　總是需要他人鞭策的人永遠無法成就大事。只有在別人監
督的情況下才做正確之事的人，也不會有什麼發展。我們的動
機必須來自心裡，而不是來自外在的環境。我們必須活在神面
前，知道祂鑒察一切；如果我們堅持遵行祂的旨意，我們會得

到祂的賞賜。

被召的人多，選上的人少

「被召的人多，選上的人少。」（馬太福音二十章 16 節）

我曾經聽過一位聖經教師說，這節經文意指許多人得蒙呼召、或是得到機會服事主，但是很少人願意負起責任、回應呼召。

正如我在前一章所提到的，許多人期待運氣，卻沒有骨氣。擁有「曠野性格」的人想要擁有一切，卻什麼事也不做。

起來，去！

「耶和華的僕人摩西死了以後，耶和華曉諭摩西的幫手，嫩的兒子約書亞，說：『我的僕人摩西死了。現在你要起來，和眾百姓過這約但河，注我所要賜給以色列人的地去。凡你們腳掌所踏之地，我都照著我所應許摩西的話賜給你們了。』」（約書亞記一章 1 ～ 3 節）

神告訴約書亞，摩西死了，他要接替摩西的位置，並且帶領以色列人過約但河、進入應許之地。這代表約書亞要承擔許多新的責任。

當我們承繼屬靈的產業時，也是如此。倘若我們不肯認眞承擔責任，就永遠不會享有在神的恩膏下站立並事奉的特權。

看哪，現在是有利的時機！

「看風的，必不撒種；望雲的，必不收割。」（傳道書十
一章4節）

當神於一九九三年讓我和戴大看見祂要我們上電視時，祂
說：「我給你們上電視的機會，但是你們如果現在不把握這個
機會，就再也沒有機會了。」假如神未曾讓我們知道這個機會
是為了那個特別的時刻而預備的，也許我們會拖延。畢竟我們
終於到達一個可以安然自在的位置上。

有九年的時間，我們一直處於「生命真道」事工的「重生」
過程。現在，突然間神給我們機會去接觸更多的人，我們是衷
心願意這麼做。但是，如果要做這件事，我們必須離開安適的
位置而接受新的責任。

當神要求祂的子民做某件事時，有一個誘惑是等候「好時
機」。我們永遠會有一種等候的傾向，等到我們不需要付代價
或不這麼困難的時候才去做。

我鼓勵你成為一個不害怕責任的人。當你面對抵抗時，你
的力量就會建立起來。如果你只做容易的事，勢將永遠都是弱
者。

神希望你、我能負起責任，並且照管祂所賜予我們的一切
——用祂交託給我們的事物，做一些能夠產生美好果實的事
工。我們若不使用祂所賜予的恩賜和才幹，就是沒有負起管理
祂交託我們之事的責任。

要有預備！

「所以，你們要儆醒；因為那日子，那時辰，你們不知
道。」（馬太福音廿五章 13 節）

馬太福音第廿五章教導我們，在我們等候主再來的這段期
間，我們應該做些什麼事情。

前面的十二節經文讓我們看見，十個童女中五個愚笨、五
個聰明。愚笨的童女不願意付出額外的勞力，以確保她們已經
做好準備的工作，得以在主回來的時候迎接祂。她們只做到可
以過關的地步；她們不想多做準備，因此只預備燈剛好需要的
油。但是，聰明的童女不只做到必須做的事。她們預備額外的
油，以確定自己有充足的準備可迎接漫長的等待。

當新郎來時，愚笨的童女發現她們的燈熄了；當然，她們
要求聰明的童女分給她們一些燈油。通常正是如此，懶惰的人總
是要那些辛勤工作並負責任的人，為他們做自己應該做的事。

運用你所獲得的才幹

「你這又惡又懶的僕人！」（馬太福音廿五章 26 節）

隨後馬太福音第廿五章記載了一個比喻，耶穌提到三個僕
人，他們分別獲得了屬於主的才幹。然後主前往遠方的國
家，期盼在他離家的這段時間裡，他的僕人能夠善用他的財
物。得到五千兩的人將錢拿去投資，又賺得五千兩。得到兩千

兩的人也是一樣。但是得到一千兩的人將銀子埋在地裡，因為他充滿了懼怕。他不敢走出去採取任何行動，因他害怕責任。

當主人回來時，他稱讚那兩個用他的錢去做一些事的僕人。但是，他對那個將銀子埋在地裡、完全沒有運用的僕人說：「你這又惡又懶的僕人！」然後他命令人將那一千兩奪回，交給那現在擁有一萬兩的僕人，而那個懶惰的僕人則受到嚴厲的處罰。

我鼓勵你回應神放在你裡面的能力，盡你所能地去運用它。因此當主人回來時，你不但可以把祂所賜的東西還給祂，還可以給得更多。

聖經清楚地告訴我們，神對我們的心意是要我們結出好果子（參考約翰福音十五章16節）。

卸下憂慮，不是卸下責任

「所以，你們要自卑，服在神大能的手下，到了時候祂必叫你們升高。你們要將一切的憂慮卸給神，因為祂顧念你們。」（彼得前書五章6～7節）

不要懼怕責任。學習卸下憂慮，但是不要卸下責任。有些人學會不要擔心任何事情，成為「卸下憂慮」的專家之後，他們覺得很舒適，以致連責任也卸下了。將你的心思專注於在你面前的事，不要因為事情看來具有挑戰性就逃避它。

隨時記住，神如果將你向祂祈求的一切都賜給你，祝福之中是帶有責任的。倘若你擁有一棟房子或一輛車子，神希望你好好保管它們。懶惰的魔鬼可能會攻擊你的心和你的感覺，但

是你擁有基督的心。你當然可以分辨魔鬼的欺騙手段，並且超越你的感覺，去做你心知是正確的事。伸手要東西是很容易，但是為了這個東西而負起責任，才是令人格成長的部分。

我記得曾經不斷試圖說服我丈夫購買一棟湖邊的房子——我們可以到那裡去休息、祈禱及學習，那是一個「遠離一切」的地方。我告訴他那將會有多麼美好，我們的孩子和孫子又會如何喜歡它；我們甚至可以帶事工領袖去那裡，進行業務會議，並且一同享受禱告的榮耀時光。

這一切聽起來都很美好，我在情感上也覺得很好，但是戴夫一直告訴我，為了照顧這棟房子我們必須付出哪些代價。他提醒我，我們已經很忙碌，沒有時間去管理另外一棟房子。他告訴我照料草坪、維修費用、房屋的款項等等。他認為最好是在需要休息時去租一個房子，而不是承擔擁有房子的責任。

我看到的是事情的情感層面，他看到的是實際的層面。每當我們做決定時，應該同時檢視這兩個層面——不只是討人喜歡，也要考慮它所要求的責任。對於那些有時間投入的人而言，湖邊的房子很完美，但是我們真的沒有能力負荷。我的內心深處知道這件事，但是足有一年的時間，我反覆不斷地試圖說服戴夫去購買。

我很高興他堅持到底。倘若不是他的堅持，我相信我們會買下那個地方，保留一陣子，最後很可能還是賣掉它，因為它要花費太大的工夫。結果，我們的朋友買了一棟湖邊的房子，只要與他們的時間不衝突，我們就可以使用房子。

假如你運用智慧，就會發現神滿足你的需要。任何有基督之心運作其內的人，都會行走在智慧中——而不是情感中。

要負責任！

18 曠野性格之三

「請將一切事情變得容易一點；
如果太困難的話，我就做不到！」

我今日所吩咐你的誡命不是你難行的，

也不是離你遠的。

（申命記三十章 11 節）

　　這種錯誤的思想態度類似前一章討論的態度，但在神的子民中卻是一個明顯的問題。我認為值得在本書另闢一章來討論。

　　這是我在禱告詞中最常聽到信徒表達的藉口。經常有人來找我，請我提供建議並為他們禱告。當我告訴他們聖經怎麼說，或是我認為聖靈顯明的啟示時，他們的反應是：「我知道那樣做是對的，神也讓我看到同樣的事情。但是喬伊思，那太難了。」

　　神讓我看到，仇敵試圖將這句話放在信徒的心中，好讓他們放棄。幾年以前，當神向我啟示這個真理時，祂命令我停止再說事情有多難；祂保證：如果我做到這一點，事情就會變得更加容易。

　　即使當我們決心向前挺進並採取行動時，我們仍花費許多時間去思想及談論「事情有多困難」，以致這件事變得更加困難。我們若採取積極，而非消極的態度，事情本該容易許多。

當我開始從聖經的角度來看應該如何生活及行動，並且將它和我的處境比較時，我總是說：「主啊，我願意照祢的方式行，但是好難啊。」神帶領我查考申命記三十章11節，祂說祂的誡命既不困難，也離我們不遠。

主的誡命對我們之所以不困難，是因為祂將祂的靈賜給我們，在我們裡面大能地運行，幫助我們做祂要求我們做的事。

保惠師

「我要求父，父就另外賜給你們一位保惠師，叫祂永遠與你們同在。」（約翰福音十四章 16 節）

當我們試圖倚靠自己、不倚靠神的恩典時，事情就顯得困難。生活中的每一件事如果都很容易，我們根本就不需要聖靈的能力來幫助。聖經稱聖靈為「保惠師」（幫助者）。祂在我們裡面，且隨時與我們同在以幫助我們，讓我們能夠做到憑己力所不能的事——而且，讓我們能夠輕易做到離了祂就難以完成的事。

容易的道路及困難的道路

「法老容百姓去的時候，非利士地的道路雖近，神卻不領他們從那裡走；因為神說：『恐怕百姓遇見打仗後悔，就回埃及去。』」（出埃及記十三章 17 節）

可以確定的是，無論神帶領你往哪裡去，祂都能保守你。

祂絕對不會讓我們受試探過於我們所能受的（參考哥林多前書十章13節）。無論祂的命令是什麼，祂都會負責。我們若學習不斷地倚靠祂，向祂支取所需要的力量，就不會一直活在掙扎之中。假如你知道神要你去做什麼事，不要因為困難就退縮。當事情變得困難時，多花一些時間親近祂，更加倚靠祂並領受祂更多的恩典（參考希伯來書四章16節）。

　　恩典是神無條件賜予力量，讓你做到靠自己的能力無法做到的事情。留意這個想法：「我做不到；太難了。」

　　神有時帶領我們行走困難的道路，而不走容易的道路，因為祂在我們裡面動工。我們生命中的一切事物若是都如此容易，以致我們可以靠著自己去處理，那麼如何能學會倚靠祂？

　　神帶領以色列子民行走較困難、較漫長的道路，是因為他們仍然怯懦，而祂必須在他們心裡動工，預備他們去迎接在應許之地將要面對的爭戰。

　　大部分人認為，進入應許之地表示不會再有爭戰，但這是不對的。如果你讀到以色列人渡過約但河之後，前往佔領應許之地時所發生的事，你會看見他們不斷地爭戰。但是他們贏得了依靠神的力量、遵循神的指示而戰的每一場爭戰。

　　雖然確有較短、較容易的道路，但是神帶領以色列人行走較長、較難的道路，因為祂知道他們尚未預備好要面對進入應許之地後的爭戰。祂擔心當以色列人看到敵人時，他們會逃回埃及，因此祂帶領他們走上較困難的道路，讓他們認識祂是誰，也讓他們知道不能靠自己。

　　當一個人經歷艱苦時，他的心會想要放棄。撒但知道，如果牠能夠打敗我們的心，牠就能利用我們的經驗打敗我們。那就是為什麼我們不能灰心、疲累及膽怯的原因。

堅持！

> 「我們行善，不可喪志；若不灰心，到了時候就要收
> 成。」（加拉太書六章9節）

灰心喪志意指在思想上放棄。聖靈在我們心中提醒我們不要放棄，因為如果堅持下去，至終將會收成。

想想耶穌。祂在受洗並被聖靈充滿之後，立刻就被聖靈引導到曠野，接受魔鬼的試探。祂沒有埋怨，或因此而氣餒及沮喪。祂沒有消極的想法或話語。祂沒有迷惑，試圖明白為什麼發生這些事！祂勝利地通過每一次的試探。

當我們的主受試探時，祂並不是在曠野裡漫遊四十晝夜，訴說這件事有多麼困難。祂從天父那裡支取力量，並且得勝而歸（參考路加福音四章 1～13 節）。

你能夠想像，耶穌和祂的門徒一面在以色列四境行走、一面談論整體局勢有多麼困難嗎？你是否能想像祂提到下列情況時的感受：十字架的道路有多困難、或是祂如何害怕前面的事、或是每天的生活環境有多麼令人氣餒——在鄉間行走、無一處可稱之為家、頭頂上沒有屋頂，甚至夜間無床可睡。

在我自己的經驗中，當我四處旅行傳講福音時，我必須學習不去談論這類型事工所包含的困難。我必須學習不去抱怨在陌生的飯店裡過夜、經常在外用餐、每個週末都睡在不同的床上、遠離家園、和陌生人見面，才剛熟悉就要離開是多麼困難。

你我都擁有基督的心，我們可以用和祂一樣的方法來處理事情：透過「得勝的思想」來預備我們的心——而不是「放棄

的思想」。

痛苦爲成功之母

「基督旣在肉身受苦，你們也當將這樣的心志作爲兵
器，因爲在肉身受過苦的，就已經與罪斷絕了。你們存
這樣的心，從今以後就可以不從人的情慾，只從神的旨
意在世度餘下的光陰。」（波淂前書四章1～2節）

這段經文教導我們一個度過困難的事物和時間的祕訣。以
下是我對這兩節經文的詮釋：

「想想耶穌經歷的每一件事，以及祂如何在肉體上忍
受痛苦，這可以幫助你勝過你的困難。裝備你自己，
準備面對爭戰；像耶穌一樣地思想，好預備你自己得
勝。『我寧可耐心地受苦，也不要不討神喜悅。』因
為，如果我在受苦時用基督的心去面對它，我就不再
是單單為了取悅自己而活，只做容易的事，逃離一切
困難的事。我將可以為了神的旨意而活，而不是靠著
我的感覺和屬世的思想。」

「在肉身」是有苦難的，我們若要遵行神的旨意，就必須
忍受這些苦難。
　我的肉體並不見得喜歡旅行佈道的生活方式，但我知道這
是神對我的旨意。因此，我必須用正確的思想來裝備自己，否
則在我起步之前，就已經先被打敗了。

你的生活中可能有一個人很難相處，但是你知道神要你持守這個關係，不要逃離它。你的肉身受苦——與那個人相處並不容易，但是你可以正確地思想這個環境，好好預備自己。

在基督的豐富裡自足

「我知道怎樣處卑賤，也知道怎樣處豐富；或飽足，或飢餓；或有餘，或缺乏，隨事隨在，我都得了祕訣。我靠著那加給我力量的，凡事都能作。」（腓立比書四章 12 ～ 13 節）

正確的思想可以裝備我們去面對爭戰。用錯誤的思想進入爭戰當中，就像沒有攜帶武器闖入戰場的前線一樣。我們如果這麼做，是不可能支持太久的。

以色列子民是「抱怨者」，那是令他們將十一天的旅程轉變成飄流四十年的原因之一。他們抱怨一切的困難，埋怨所有的新挑戰——他們總是談論事情有多麼困難。他們的性格是：「請把每件事都弄得容易一點，事情如果太難，我承擔不起！」

最近，我知道有許多信徒是週日戰士、週一抱怨者。週日時，他們和朋友在教會裡高言大志，但是到了週一，亦即「活出真理」的時刻來臨、他們不需要感動任何人之時，他們會因著最輕微的試煉而喪志。

倘若你是個抱怨者、埋怨者，你必須建立新的思想態度，並說：靠著那加給我力量的基督，我凡事都能做（參考腓立比書 13 節）。

19 曠野性格之四

「我沒辦法；我就是會發怨言、挑剔、埋怨」

倘若人爲叫良心對得住神，

就忍受冤屈的苦楚，這是可喜愛的。

你們若因犯罪受責打，能忍耐，有什麼可誇的呢？

但你們若因行善受苦，能忍耐，這在神看是可喜愛的。

（彼得前書二章 19～20 節）

　　在我們學會於苦難中用正確的態度來榮耀神之前，我們不能得著釋放。榮耀神的並不是苦難，而是在苦難中以敬虔的態度來討祂的喜悅，並爲祂帶來榮耀。

　　若想從這些經文中領受到神要我們學習的眞理，我們就必緩慢地閱讀並徹底消化每一個句子。我承認，我花了數年的時間研讀這些經文，試著了解：聖經既清楚記載耶穌擔當我們一切的苦難和刑罰的痛苦（參考以賽亞書五十三章 3～6 節），爲何我所承受的苦難卻能討神的喜悅。

　　我花了好幾年的時間才明白，彼得前書這段經文的焦點並不是苦難，而是一個人在苦難中應有的態度。

　　注意這段經文中使用「忍耐」這個字，它說我們若因行善而受苦且能忍耐，這是討神喜悅的。討祂喜悅的是我們忍耐的態度，不是我們的苦難。爲了在苦難中鼓勵我們，聖經勸勉我們思想：耶穌如何面對祂所遭受的不公平待遇。

耶穌是我們的榜樣

「你們蒙召原是為此；因基督也為你們受過苦，給你們留下榜樣，叫你們跟隨祂的腳蹤行。祂並沒有犯罪，口裡也沒有詭詐。祂被罵不還口；受害不說威嚇的話，只將自己交託那按公義審判人的主。」（彼得前書二章21～23節）

耶穌所受的苦是榮耀的！祂保持靜默，沒有怨言，無論事態如何，總是信任神。祂在任何景況下都保持同樣的態度，並不是在事態輕鬆時就耐心地反應，而在困難或不公義時就顯出不耐的態度。

以上的經文讓我們知道，耶穌是我們的榜樣；祂來到世上，讓我們看到該如何生活。我們在其他人面前的生活方式，可以讓他們看見他們應該如何生活。當我們教導孩童時，身教重於言教。我們是被眾人念誦的活的薦信（參考哥林多後書三章2～3節），是照亮在黑暗世界裡的明光（參考腓立比書二章15節）。

蒙召謙虛、溫柔、忍耐

「我為主被囚的勸你們：既然蒙召，行事為人就當與蒙召的恩相稱。凡事謙虛、溫柔、忍耐，用愛心互相寬容。」（以弗所書四章1～2節）

不久之前，我的家裡發生了一個狀況，正是說明用謙虛、溫柔、忍耐的態度來受苦的絕佳例子。

我兒子但以理剛剛結束多明尼加（Dominican Republic）的宣教旅行。他回家的時候，身上長滿了疹子，而且有一些潰瘍。別人告訴他，那是多明尼加的野葛造成的症狀。他的情況看起來很糟，我們覺得必須確定究竟是什麼原因造成的，而那天我們的家庭醫生休假，因此我們打電話和代理他的醫生約了一個就診時間。

我的女兒珊德拉打電話去約診，告訴他們但以理的年齡，並且說明她是他的姐姐，將會帶他去。那天我們都很忙碌，包括珊德拉在內。經過四十五分鐘的車程，她到達診所時，卻被告知：「噢，對不起，我們不治療沒有父母陪伴的未成年人。」

珊德拉解釋說，當她打電話來時，她特別說明她會帶弟弟來就醫，因為我們時常旅行，她經常帶他來看病。那個護士堅持說，必須由父母陪同來就醫。

珊德拉原可因此生氣。她在極度忙碌中挪出時間來做這件事，卻發現她的計畫和努力都是白費心機。她還要再開四十五分鐘的車回家，整件事看起來根本就在浪費時間。

然而神幫助她保持冷靜和愛。她打電話給前去探望祖母的爸爸，他說他會來處理這件事。那天早上，戴夫覺得受感動，便前往我們的辦公室拿了一些我的書和錄音帶，但是他根本不知道這些東西會派上用場。他只是覺得應該去拿。

當他到達診所時，負責掛號的小姐問戴夫是不是宣教士，又問他是不是喬依絲‧邁爾的先生。他說是的，然後她說她一直在電視上看到我，也經常聽到我家人的名字，她心想會不會

是同一個人。戴夫和她談了一會兒，並且送她一本我所寫的、關於情感醫治的書。

我與你們分享這個故事的重點在於：珊德拉如果失去耐性而發脾氣的話，會有什麼結果？即使她的見證未因此而全毀，至少也會受到傷害。事實上，這可能會對那個在電視上看到我、卻發現我的家人行為惡劣的小姐造成靈裡的傷害。

世上有許多人想要尋求神，而我們讓他們看見的行為比對他們說的話語更為重要。當然，以話語分享福音是很重要的，但是如果我們分享福音，卻以行為來否定所傳講的信息，這要比什麼都不說來得更糟。

珊德拉耐心地忍受她的苦難；神的話語說，我們蒙召是為了活出這種行為和態度。

約瑟耐心地忍受痛苦

「在他們以先打發一個人去——約瑟被賣為奴僕。人用腳鐐傷他的腳；他被鐵鍊捆拘。耶和華的話試煉他，直等到他所說的應驗了。」（詩篇一○五篇 17 ～ 19 節）

約瑟是舊約聖經的一個例子，我們來思想他如何遭受哥哥們不公義地惡待。他們把他賣為奴隸，並且告訴父親說他被野獸殺死。在此同時，他被一個叫做波提乏的富人買到家裡當奴隸。約瑟無論到哪裡，神都祝福他，他很快就贏得新主人的歡心。

約瑟的地位繼續高升，但是另外一件不公義的事情發生在他身上。波提乏的妻子試圖引誘約瑟通姦，但由於他是個義

人，因此不願意和她有任何的牽連。她欺騙丈夫，說約瑟侵害她，以致約瑟為了自己沒有做的事而被下在監裡！

約瑟被關在監裡的時候，仍然試著幫助別人。他從來不曾抱怨，由於他在苦難中持守合宜的態度，最後神拯救他，並且將他高舉。他在埃及擁有如此大的權力，以致全地除了法老以外，沒有人凌駕在他之上。

至於約瑟的哥哥，神也支持他們：當全地發生飢荒時，約瑟的哥哥們必須前來埃及向約瑟求討糧食。約瑟再次表現出敬虔的態度，即使他們應當受到懲罰，約瑟仍然沒有苦待他們。他告訴哥哥們，他們原想傷害他，神卻將之轉變為祝福——他們是在神的手中，而不是在他的手中。除了祝福他們之外，他沒有權力做任何事（參考創世記卅九至五十章）。

埋怨的危險

「也不要試探主，像他們有人試探的，就被蛇所滅。你們也不要發怨言，像他們有發怨言的，就被滅命的所滅。他們遭遇這些事，都要作為鑑戒；並且寫在經上，正是警戒我們這末世的人。」（哥林多前書十章9～11節）

從這段經文，我們可以看到約瑟和以色列人的差異。約瑟完全沒有抱怨，以色列人則是對於任何不順心的小事都發怨言。聖經非常清楚陳明發怨言、挑剔、埋怨的危險性。

這段信息相當清楚。以色列人的怨言為仇敵開啟一扇門，讓牠得以進來摧毀他們。他們應該感謝神的良善，但是他們並

沒有這樣做，因此也付上了代價。

聖經告訴我們，他們的痛苦和死亡被記載下來，讓我們看到：我們的行為如果和他們一樣，將會遭遇到什麼事。

除非我們的思想先發出怨言，否則口中不會發出怨言。埋怨絕對是一種使我們無法進入應許之地的曠野性格。

耶穌是我們的榜樣，我們應該行祂所行。

以色列人發怨言，便在曠野裡飄流。

耶穌發出讚美，就從死裡復活。

在這個對比中，我們可以看到讚美和感恩的能力，也看到埋怨的能力。是的，發怨言、挑剔、埋怨是有能力的——但它是負面的能力。每當我們將思想和口舌交給它，就是讓撒但獲得神未授權給牠的能力，讓牠得以控制我們。

不要發怨言、挑剔、埋怨

「凡所行的，都不要發怨言，起爭論，使你們無可指摘，誠實無偽，在這彎曲悖謬的世代作神無瑕疵的兒女。你們顯在這世代中，好像明光照耀。」（腓立比書二章 14～15 節）

有時候，似乎全世界都在抱怨。發怨言和牢騷的人這麼多，感恩和欣賞的人卻如此稀少。許多人抱怨自己的工作和老闆，但是他們應該為了擁有工作而感恩，為了他們不是住在遊民收容所或站在配給隊伍裡而感謝。

這些貧窮人若是擁有那份工作，即使它並不完美，他們仍然會非常興奮。他們會很願意忍受一個不是這麼完美的老闆，

以換取一份穩定的收入，並住在自己的家中，自己烹煮食物。

也許你確實需要一份酬勞更高的工作，也許你確實遇到一個待你不公的老闆。這確實是不幸的事，但是埋怨並不能為你找到出路。

不要煩躁或擔憂，只要祈禱並感恩！

「應當一無罣慮，只要凡事藉著禱告、祈求，和感謝，將你們所要的告訴神。」（腓立比書四章6節）

在這節經文中，使徒保羅教導我們如何解決問題。他告訴我們，無論在任何情況下，都要以感恩的心禱告。

主也教導我同樣的原則，祂告訴我：「喬伊思，如果你不為了已經擁有的感恩，為什麼我還要給你別的東西？為什麼我要給你其他讓你抱怨的東西？」

我們若是不能站在一個充滿感恩的生命基礎向神發出祈求，就不能獲得好的回應。聖經不是說用埋怨來禱告，乃是說用感恩的心來禱告。

通常，當某事或某人沒有按照我們的期望去做，或是遇到必須等候較預期為久的時間之時，我們就會發牢騷、發怨言、挑剔和抱怨。聖經教導我們，在這些時候要忍耐。

我發現，耐心不只是等候的能力，也是在等候之時保持良好態度的能力。

很重要的一點是，我們必須認真看待抱怨和所有相關的消極思想及對話。我衷心相信神啟示我並讓我看到：將我們的口和心交給這些東西時有多麼危險。

　　神在申命記一章6節告訴以色列人：「你們在這山上住的日子夠了。」也許你已經繞行同一座山頭許久，現在正準備繼續前進。若是如此，要記住：你的思想和話語中如果充滿了怨言，就不會有任何正面的進展。

　　我並非說不發怨言是一件容易的事，但是你擁有基督的心。何不發揮它最大的功效？

20 曠野性格之五

「不要叫我等候；我應該立刻得到的。」

弟兄們哪，你們要忍耐，直到主來。
看哪，農夫忍耐等候地裡寶貴的出產，
直到得了秋雨春雨。
（雅各書五章 7 節）

　　缺乏耐性是驕傲的果子。一個驕傲的人似乎無法用合宜的態度來等候任何事情。正如我們在前一章所討論的，耐心並不是等候的能力，而是在等候之時保持良好態度的能力。

　　這段經文並不是說：「如果你等候的話，就要忍耐。」而是說：「在等候之時要忍耐。」等候是生命的一部分。許多人「等得不好」；然而，事實上我們一生中花在等候上的時間多過於接受的時間。

　　我的意思是：我們在禱告中向神祈求某樣東西，相信他會成就，然後我們一等再等、等候事情的成就。當事情成就時，我們就喜樂，因為我們終於得到所等候的東西。

　　但是，由於我們是目標導向的人，所以隨時需要向前衝的力量——某個讓我們期待的東西，因此我們立刻又回到向神要求某事並相信的階段，再次一等再等，直到下次的突破來臨。

　　當我思想這種情況時，我就明白自己花費在等候上的時間遠比我獲得的時間多。因此我決定享受等候的時間，而不只是

享受獲得的時間。

我們必須學習在前往目的地的途中，享受自己所在的位置！

驕傲使人無法耐心等候

「我憑著所賜我的恩對你們各人說：不要看自己過於所
當看的，要照著神所分給各人信心的大小，看得合乎中
道。」（羅馬書十二章3節）

倘若你不知道如何耐心等候，就不可能享受等候的時間。
驕傲使人無法耐心等候，因為驕傲的人自視甚高，以致他認為
自己不應該遇到任何不便。

我們雖然不需要妄自菲薄，但是也不要自視過高。將自己
過度高舉以致輕視他人，這是很危險的。別人如果未依照我們
的希望行事，或是行動不如我們所期望的一樣迅速，我們就會
表現出不耐煩的樣子。

一個謙卑的人不會表現出不耐的態度。

要實際！

「我將這些事告訴你們，是要叫你們在我裡面有平安。
在世上，你們有苦難；但你們可以放心，我已經勝了世
界。」（約翰福音十六章33節）

撒但還有另外一個方法。牠可以利用我們的思想，帶領我
們進入缺乏耐心的行為當中——就是透過理想化的想法，而不

是實際的想法。

我們如果以爲，一切與自己和所處的環境及關係有關的事物，都應該永遠保持完美——沒有不便，沒有阻礙，沒有必須應對的不可愛之人，那麼就是在自掘墳墓。或者，事實上應該說，撒但透過錯誤的思想，將我們放在陷阱之上。

我並不是說我們要消極；我堅決地相信積極的態度和思想。但是我要說，我們必須夠實際，要體認到真實生活中的事物很少是完美的。

我丈夫和我幾乎每個週末都前往不同的城市主持研討會。很多時候，我們會租用飯店的大宴會廳及活動中心。一開始，每當租用的場地出了差錯時，我就會失去耐心、感到沮喪——例如空調不正常（或根本不能用）、會議室的光線不夠、椅子太髒、椅墊破損，或是前一天晚上婚宴的蛋糕殘屑還留在地板上。

我覺得，我們既付了大筆金錢來使用這些房間，當我們租用時，當然會希望場地的狀況良好，因此一旦情況並非預期時，我就會感到惱怒。我們盡一切所能地確保租用的場地乾淨而舒適，但是約有百分之七十五的場地會有一些地方不符合我們的期待。

有時候，飯店告訴我們可以提早進房，但是當我們抵達時，飯店卻告訴我們要等候數小時才有房間。飯店員工在提供會議時間的資料時，經常會提供錯誤的資訊，即使我們已經一再地確認，甚至將列出確實日期和時間的書面資料寄給他們，情況仍然沒有改善。我們經常遇到粗魯而懶惰的飯店和餐廳員工。我們爲研討會午餐訂購的食物，也經常和原先訂購的內容不符。

我特別記得有一次，送給與會的基督徒婦女（大約有八百

位)的甜點竟用蘭姆酒調味，因為廚房把婚禮的菜單和我們的
菜單弄混了。不消說，當姐妹們告知甜點有酒味的時候，我們
實在覺得有點難堪。

我可以繼續不斷地舉例說明，但是重點很簡單：有些時
候、但是非常罕見，我們會遇到完美的地點、完美的人們，以
及完美的研討會。我終於明白，這些狀況使我感到不耐、反應
惡劣的原因之一，是因為我很完美主義，且不切實際。

我不會為了要失敗而做計畫，但是我記得耶穌說過，在這
個世界上我們都必須面對苦難、試煉、絕望和挫折。這些事情
是世上生活的一部分——無論是信徒或非信徒。但是，如果我
們住在神的愛裡，結出聖靈的果子，那麼世界上所有的不幸都
不能傷害我們。

耐心：忍受的力量

「所以，你們既是神的選民，聖潔蒙愛的人，就要存憐
憫、恩慈、謙虛、溫柔、忍耐的心。」（歌羅西書三章
12 節）

我經常翻閱這段經文，提醒自己在所有的情況下應該有何
種行為。我提醒自己，*耐心並非指我等候的能力，而是我在等
候之時保持良好態度的能力*。

試煉帶來忍耐

「我的弟兄們，你們落在百般試煉中，都要以為大喜

樂；因為知道你們的信心經過試驗，就生忍耐。但忍耐
也當成功，使你們成全、完備，毫無缺欠。」（雅各書
一章2～4節）

忍耐是聖靈的果子（參考加拉太書五章22節），神把它放
在每個重生之人的靈裡。對神而言，祂的子民表現出忍耐是很
重要的一件事。祂要其他人透過祂的子民看見祂的性格。

雅各書一章教導我們，當我們成為完全時，就會一無所
缺。魔鬼不能控制一個學會忍耐的人。

雅各書一章也教導我們，當我們發現自己落在艱難的處境
時，應該歡喜快樂。我們知道，神藉以將我們裡面的忍耐誘導
出來的方法，就是透過所謂的「百般試煉」。

我在自己的生活中發現，「百般試煉」確實將我裡面的忍
耐誘導出來，但是一開始，它們也會帶出其他許多不敬虔的性
格，例如驕傲、憤怒、叛逆、自憐、怨言及其他許多性格。似
乎必須先面對這些性格，並且加以處理之後，忍耐才會彰顯出
來。

試煉還是不便？

「他們從何珥山起行，往紅海那條路走，要繞過以東
地。百姓因這路難行，心中甚是煩躁。」（民數記廿一
章4節）

也許你還記得，缺乏耐心的態度，是導致以色列人在曠野
裡飄流四十年之久的曠野性格之一。

　　這些人如果在面對一點點的不便之時，就無法忍耐並站立得穩，他們如何能夠進入應許之地，並趕逐當地的居民呢？

　　我真心鼓勵你，當聖靈栽培你心中忍耐的果子時，你必須和聖靈同工。你愈是抗拒祂，過程就會持續愈久。學習用忍耐面對所有的試煉，你會發現自己過著有品質的生活，不只是忍耐，而且滿有喜樂。

耐心和忍耐的重要性

「你們必須忍耐，使你們行完了神的旨意，就可以得著所應許的。」（希伯來書十章 36 節）

　　這段經文告訴我，若是沒有忍耐，就無法得著神的應許。希伯來書六章 12 節也告訴我們，惟有透過信心和忍耐，我們才能承繼應許。

　　驕傲的人靠自己肉體的力量行事，試圖讓事情依照他的時間表進行。驕傲說：「我已經準備好了！」

　　謙卑說：「神知道什麼是最好的，祂不會遲延！」

　　一個謙卑的人會耐心地等候；事實上，他對於憑自己的血氣行事抱持著畏懼的態度。但是驕傲的人會不斷地嘗試，卻徒勞無功。

直線不一定是通往目標的最近距離

「有一條路，人以為正，至終成為死亡之路。」（箴言十六章 25 節）

　　我們必須知道，在屬靈的領域裡，直線不一定是通往目的地的最近距離；它可能是通往滅亡的最短距離！

　　我們必須學習忍耐，等候主，即使祂似乎帶領我們繞遠路，才走向我們的目的地。

　　世界上有許多不快樂、不滿足的基督徒，只因為他們忙著試圖讓某件事發生，而不是耐心地等候神，依照祂的時間、用祂的方法行事。

　　當你想要等候神時，魔鬼會不斷地刺激你的思想，要你「採取行動」。牠會用屬血氣的熱誠來感動你，因為牠知道血氣沒有益處（參考約翰福音六章63節；羅馬書十三章14節）。

　　正如我們所看到的，缺乏耐心是驕傲的表現，而對付驕傲的惟一方法就是謙卑。

自卑等候主

> 「所以，你們要自卑，服在神大能的手下，到了時候祂
> 必叫你們升高。」（彼得前書五章6節）

　　自卑並不是要你將自己想得極為不堪。它的意思很簡單：「不要以為你可以靠自己解決一切的問題。」

　　不要驕傲地將事情抓在手中；我們應該學習在神大能的手下謙卑。當祂知道正確的時機到來時，便會叫我們升高。

　　當我們等候神、拒絕依血氣行事時，會發生「自我死亡」的情形，這時我們就開始向自己的方法和自己的時間死了，並在神對我們的旨意中活過來。

　　我們應該隨時順從神的旨意，但是也應該對肉體的驕傲抱

持著敬虔的恐懼。記住：缺少耐心的根源就是驕傲。驕傲的人說：「請你不要叫我等候；我配得立刻得到任何東西。」

　　當你受到引誘、似乎就要落入沮喪並缺少忍耐之際，我建議你開始說：「主啊，我要聽從祢的旨意，等候祢的時間。我不要跑在祢前面，也不要落在祢後面。幫助我，天父，讓我耐心等候祢！」

21 曠野性格之六

「我的行為可能是錯的，但那不是我的錯。」

那人說：「祢所賜給我、與我同居的女人，

她把那樹上的果子給我，我就吃了。」

耶和華神對女人說：「你作的是什麼事呢？」

女人說：「那蛇引誘我，我就吃了。」

（創世記三章 12 ～ 13 節）

　　不願意為自己的行為負責，將所有的錯誤歸咎於他人，是造成曠野生命的主要原因之一。

　　從人類歷史一開始，我們就看到問題出現了。當亞當和夏娃在伊甸園裡因所犯的罪而受到神質問時，他們彼此指責，也指責神和魔鬼，藉此來規避個人的行為責任。

都是你的錯！

「亞伯蘭的妻子撒萊不給他生兒女。撒萊有一個使女，

名叫夏甲，是埃及人。撒萊對亞伯蘭說：『耶和華使我

不能生育。求你和我的使女同房，或者我可以因他得孩

子。』亞伯蘭聽從了撒萊的話。於是亞伯蘭的妻子撒萊

將使女埃及人夏甲給了丈夫為妾；那時亞伯蘭在迦南已

經住了十年。亞伯蘭與夏甲同房，夏甲就懷了孕；她見

自己有孕，就小看她的主母。撒萊對亞伯蘭說：『我因
你受屈。我將我的使女放在你懷中，她見自己有了孕，
就小看我。願耶和華在你我中間判斷。』亞伯蘭對撒萊
說：『使女在你手下，你可以隨意待她。』撒萊苦待
她，她就從撒萊面前逃走了。」（創世記十六章1～6節）

發生在亞當和夏娃之間的情形，也發生在亞伯蘭和撒萊的
爭執中。他們已經厭煩於等候神實現讓他們生子的應許，因此
他們順從了肉體：「自力救濟」。當結果不如預期、開始出現
問題時，他們便開始彼此責備。

過去在我的家庭裡，我和戴夫之間也曾發生過無數次同樣
的情形。我們似乎一直在規避生活中真正的問題，從來不想面
對現實。

我清楚記得自己為戴夫禱告，求神改變他。我不斷地讀聖
經，看到他愈來愈多的缺點，以及他是多麼需要改變！當我禱
告時，神對我說：「喬依絲，問題不在戴夫……而是你。」

我很驚愕。我一直哭。我哭了三天，因為神讓我看到，和
我同住在一個屋簷下是什麼樣子。祂讓我看到：我如何試圖要
控制一切，我如何嘮叨和抱怨，我如何難以取悅，我如何消極
──諸如此類的事難以勝數。這對我的驕傲而言是巨大的打
擊，但那也是我在主裡得蒙醫治的開始。

就像大部分人一樣，我將一切錯誤歸咎於他人，或是歸咎
於我不能控制的因素。我以為自己是因為受到侮辱才出現壞行
為，但是神告訴我：「侮辱或許是你如此行的原因，但是不要
讓它成為你停留在這種光景中的藉口！」

撒但努力攻擊我們的思想──建立使我們無法行出真理的

營壘。眞理可以讓我們得自由，而牠清楚明白這件事！

　　我認爲，沒有任何事比面對眞正的自我更令情感感到傷痛。正因爲很痛苦，因此大部分人採取逃避的態度。面對別人的眞相是相當容易的，但是在必須面對自己時，我們發現要難掌握得多。

如果……

　　「就怨讟神和摩西說：『你們爲什麼把我們從埃及領出來、使我們死在曠野呢？這裡沒有糧，沒有水，我們的心厭惡這淡薄的食物。』」（民數記廿一章5節）

　　以色列人埋怨說，他們所有的問題都是神和摩西的錯。他們成功地逃避任何致使他們停留在曠野如此之久的個人責任。神讓我看見，這是使他們停滯在曠野四十年的主要曠野性格之一。

　　那也是我花了這麼多年的時間，一再地繞行生命中同一座山嶺的主要原因之一。若是要我列出導致我惡劣行徑的藉口，這份列表可以是無窮無盡的：

　　「如果我在童年時沒有遭受虐待，我的脾氣就不會這麼壞。」
　　「如果我的孩子能多幫我一點忙，我就可以表現得更好。」
　　「如果戴夫不在週六打高爾夫球，我就不會這麼生他的氣。」

「如果戴夫多和我說話，我就不會這麼寂寞。」

「如果戴夫多買一點禮物給我，我就不會這麼消極。」

「如果我不需要工作，我就不會這麼累，這麼難以取悅。」（所以我辭職，但是結果……）

「如果我可以多出門走走，我就不會這麼無聊！」

「如果我們有更多的錢……」

「如果我們擁有自己的房子……」（所以我們買了一棟房子，然後……）

「如果我們沒有這麼多的帳單……」

「如果我們有更好的鄰居或是不一樣的朋友……」

如果！如果！如果！如果！如果！如果！如果！如果！如果！如果！

但是……

「耶和華曉諭摩西說：『你打發人去窺探我所賜給以色列人的迦南地，他們每支派中要打發一個人，都要作首領的。』摩西就照耶和華的吩咐從巴蘭的曠野打發他們去；他們都是以色列人的族長。過了四十天，他們窺探那地才回來，到了巴蘭曠野的加低斯，見摩西、亞倫，並以色列的全會眾，回報摩西、亞倫，並全會眾，又把那地的果子給他們看；又告訴摩西說：『我們到了你所打發我們去的那地，果然是流奶與蜜之地；這就是那地的果子。』然而住那地的民強壯，

城邑也堅固寬大，並且我們在那裡看見了亞衲族的
人。」（民數記十三章1～3、25～28節）

「如果」和「但是」是撒但放在我們心中最詭詐的兩個字
眼。奉派前往應許之地窺探的十二名探子帶回一串極巨大的葡
萄，甚至必須由兩個人合力用桿子挑起；但是，他們給摩西和
百姓的報告卻是負面的。

打敗他們的是「但是」！他們應該把目光定睛於神，而不
是潛在的問題。

我們的問題之所以能夠打敗我們，原因之一在於我們認為
它們比神還偉大。這或許也是我們如此難以面對真相的原因。
我們不確定神能夠改變我們，因此我們逃避自己，而不是面對
自己的真相。

現在，當神調教我的時候，我不再那麼難以面對生命的本
相，因為我知道祂可以改變我。我已經認識祂的大能，而且我
信任祂。但是，在我剛開始與祂同行之時，這是很困難的一件
事；我將生命大部分的時間用來隱藏一些事情。我活在黑暗中
如此長久，以致走出來迎接光明並不是一件容易的事。

內裡誠實

「神啊，求祢按祢的慈愛憐恤我！按祢豐盛的慈悲塗
抹我的過犯！求祢將我的罪孽洗除淨盡，並潔除我的
罪！因為，我知道我的過犯；我的罪常在我面前。我
向祢犯罪，惟獨得罪了祢；在祢眼前行了這惡，以致

> 祢責備我的時候顯為公義，判斷我的時候顯為清正。
>
> 我是在罪孽裡生的，在我母親懷胎的時候就有了罪。
>
> 祢所喜愛的是內裡誠實；祢在我隱密處，必使我得智慧。」（詩篇五十一篇 1 ～ 6 節）

在詩篇第五十一篇，大衛王向神呼求憐憫及赦免，因為神在處理他和拔示巴的罪，以及她丈夫的謀殺案。

不管你相不相信，大衛的罪是在寫下這首詩篇整整一年前犯下的，但是他從來不曾真正面對它、承認它。他沒有面對真相；只要他拒絕面對真相，就無法真正地悔改。只要他沒有真正地悔改，神就不能赦免他。

這段經文的第6節是一句極有能力的經文。它說神喜愛的是「內裡誠實」。這表示我們如果想要獲得神的祝福，就必須在自己和自己的罪上誠實地面對祂。

認罪之後才有赦免

> 「我們若說自己無罪，便是自欺，真理不在我們心裡了。我們若認自己的罪，神是信實的，是公義的，必要赦免我們的罪，洗淨我們一切的不義。我們若說自己沒有犯過罪，便是以神為說謊的，祂的道也不在我們心裡了。」（約翰一書一章 8 ～ 10 節）

我們如果真的悔改，神很快就會赦免我們。但是如果我們不肯面對並承認曾經做過的事，就無法真正地悔改。

　　我們如果先承認自己做錯事，然後又想找藉口來辯解，這仍然不是神所要求面對眞相的方式。當然，我們會想爲自己的行爲辯護，但是聖經說，只有在耶穌基督裡，我們才能得以稱義（參考羅馬書三章 20 ～ 24 節）。我們在犯罪之後，只有藉著耶穌的血才能夠與神和好──不是藉著我們的藉口。

　　我記得有一天，一位鄰居打電話給我，要求我立刻趕在銀行打烊前帶她到銀行去，因爲她的車子發不動。那時候我忙著做「我的事情」，不想停下來，所以我對她的態度很粗魯且沒有耐心。當我掛上電話時，我知道自己的行爲有多麼糟糕，我必須打電話向她道歉，並且載她到銀行去。我的腦海裡充滿了各式各樣爲我的行爲辯護的藉口：「我覺得不舒服……」「我很忙……」「我今天過得不好……。」

　　但是在我靈裡深處，我可以感覺到聖靈告訴我，不要找藉口！

　　「打電話給她，告訴她你錯了，這樣就夠了！除了『我錯了，我的行爲沒有藉口。請原諒我，讓我載你到銀行去。』以外，什麼都不要說。」

　　我可以告訴你，這是非常難以做到的事。我的身體甚至在抽搐！我可以感覺到這個小東西在我的靈裡跑來跑去，急切地想要尋找一個可以藏身的地方。但是我們不可能躲避眞理，因爲眞理就是光。

眞理就是光

　　「太初有道，道與神同在，道就是神。這道太初與神

同在。萬物是藉著祂造的;凡被造的,沒有一樣不是
藉著祂造的。生命在祂裡頭,這生命就是人的光。光
照在黑暗裡,黑暗卻不接受光。」(約翰福音一章1～
5節)

真理是對抗黑暗國度最強大的武器之一。真理就是光,聖
經說黑暗永遠無法勝過光。

撒但要將事物隱藏在黑暗裡,但是聖靈要將它們帶進光中
並對付它們,如此你我方能真正地得到自由。

耶穌說,真理可以讓我們得著自由(參考約翰福音八章32
節)。真理由真理的靈所啓示。

真理的靈

「我還有好些事要告訴你們,但你們現在擔當不了。
只等真理的聖靈來了,祂要引導你們明白一切的真
理;因為祂不是憑自己說的,乃是把祂所聽見的都說
出來,並要把將來的事告訴你們。」(約翰福音十六
章 12 ～ 13 節)

耶穌可以向祂的門徒啓示所有的真理,但是祂知道他們還
沒有預備好。祂告訴他們,他們必須等候聖靈從天而降,與他
們同行並居住在他們裡面。

耶穌升天之後,祂差遣聖靈在我們心裡作工,不斷地預備
我們,讓神的榮耀透過我們,以不同的程度彰顯出來。

　　我們如果不肯面對眞理，又如何能讓聖靈在生命中作工？祂被稱爲「眞理的靈」。祂在我們身上的主要工作之一就是幫助我們面對眞理——帶領我們進入眞理，因爲只有眞理能夠讓我們得到自由。

　　你的過去裡有一些東西——傷害你的一個人、一件事，或是環境——可能是你錯誤的態度和行爲的原因，但是不要容許它成爲停留在那裡的藉口。

　　我的許多行爲問題，絕對是源於在性、言語和情感上多年受到虐待——但是只要我將那些虐待當成藉口，就會困在錯誤的行爲模式裡。那就像在保護你的敵人，說：「我恨惡這個東西，但這就是我保留它的原因。」

　　你絕對可以經歷到從所有捆綁中得到釋放的自由，你不必花四十年的時間在曠野裡飄流。或者，如果你已經花了四十年的時間，只因爲你不知道是「曠野性格」使你停留，那麼今天就可以是你決志的日子。

　　求神開始讓你看見自己的本相。當祂動工時，要堅持下去！那不是一件容易的事，但是記住，祂曾經應許：「我總不撇下你，也不丟棄你。」（希伯來書十三章5節）

　　你開始走出曠野，享受應許之地吧！

22 曠野性格之七

「我的生命好悲慘；我為自己感到遺憾，因為我的生命如此不幸！」

當下，全會眾大聲喧嚷；

那夜百姓都哭號。

以色列眾人向摩西、亞倫發怨言。

（民數記十四章1～2節）

　　以色列人覺得自己非常可憐。每一個不便之處都成為自憐的新藉口。

　　我記得在一次「可憐派對」中，神對我說：「喬伊思，你可以很可憐，也可以很有能力，但是你不可能同時擁有二者！」

　　我不想太快略過這一章。我們必須明白一個非常重要的真理：我們不能同時取悅自憐的惡魔，同時又行走在神的能力中！

彼此勸慰及建立

「所以，你們該彼此勸慰，互相建立，正如你們素常所行的。」（帖撒羅尼迦前書五章11節）

　　我很難放棄自憐；多年來每當我受傷的時候，我就會利用

它來安慰自己。

當有人傷害我們、當我們感受到失望之時，魔鬼就會差派一個惡魔向我們輕訴謊言，說我們受到多麼殘忍而不公平的對待。

只要在這種時候聆聽湧進你心思中的這些想法，你很快就會明白仇敵如何利用自憐來捆綁我們。

但是，聖經並沒有賦予我們為自己感到遺憾的自由。相反地，我們要在主裡彼此勸慰，互相建立。

憐憫確實是一項恩賜，它讓我們能夠對受傷的人懷著屬天的憐憫，並用我們的生命去安慰他們的傷痛。但是自憐是誤用這項恩賜，因為這是將神要我們給予他人的東西保留給自己用。

愛也是一樣。羅馬書五章5節說，聖靈將神的愛澆灌在我們心裡。祂已經做成這工，因此我們能夠知道神多麼愛我們，我們也可以去愛其他人。

當我們將神要我們分享出去的愛保留下來、使用在自己身上時，它就會變成自私和以自我為中心，這樣反而會毀了我們。自憐是偶像崇拜——以我們自己為對象，將焦點放在自己和自己的感覺上，它使我們只能察覺到自己的需要和關切之事——這當然是一種心胸狹窄的生活方式。

顧別人的事

「各人不要單顧自己的事，也要顧別人的事。」(腓立比書二章4節)

最近我有一場演講被取消了。我一直期待這場演講，因此剛開始我有一點失望。曾有一段時間，類似這樣的事情會使我落入自憐、批評、對其他人的審判，以及各種負面的思想和行為中。後來我學習到，遭遇這樣的景況時，只要保持安靜即可；寧可什麼都不說，也不要說出錯誤的話。

當我安靜地坐著時，神開始讓我從其他人的觀點來看這件事。他們找不到可以舉行聚會的地方，神也讓我看到他們有多麼失望。他們非常期待這次的聚會，然而如今卻無法舉辦這場聚會。

令人驚訝的是，我們如果看到別人的需要，而不只是看到自己的需要時，便很容易就可以遠離自憐。是的，自憐是一個大陷阱，也是撒但最喜歡用來將我們困在曠野裡的工具。我們如果不小心，很容易耽溺在其中。

耽溺是指對某種刺激的自然反應——一種學習而來的行為模式，已經成為習慣。

你花了多少時間自憐？你對失望如何反應？

當基督徒經歷失望之時，他擁有一項罕見的特權——他可以重燃希望。擁有神同在，永遠都有機會重新開始。但是自憐會將我們困在過去。

放手，交託給神！

「耶和華如此說：『你們不要記念從前的事，也不要思想古時的事。看哪，我要作一件新事；如今要發現，你們豈不知道嗎？我必在曠野開道路，在沙漠開江河。』」
（以賽亞書四十三章 18 ～ 19 節）

　　我浪費了許多年的生命，爲自己感到遺憾。我是耽溺的例子之一。當我遭遇失望時，我的自然反應就是自憐。撒但會立刻用錯誤的思想充滿我的心，而且由於我不知道該如何「留心我的思想」，因此我想的就是任何進入我腦海中的東西。我愈想就愈覺得自己可憐。

　　我經常分享自己早期婚姻生活中的故事。足球季的每個週日下午，戴夫都要收看電視的球賽轉播。如果現在不是足球季，就會是其他的球季。戴夫喜歡所有的球季，而我什麼都不喜歡。他喜歡任何有一顆球在場上跳來跳去的活動，而且很容易就全神貫注於運動比賽中，完全忘卻了我的存在。

　　有一次我站在他的正前方，說得非常清楚：「戴夫，我覺得一點都不好；我覺得我快死了。」

　　他說：「呃，不錯，親愛的。」他的眼睛根本沒有離開電視螢幕。

　　許多週日的下午，我在憤怒和自憐中度過。每當我生戴夫的氣時，我就去清掃房子。現在我知道，我的目的是要讓他看見，在我這麼悲慘的時候，他還那麼自得其樂；我試圖讓他因此而感到有罪惡感。我會在房子裡面跑來跑去好幾個鐘頭，用力摔門和抽屜，拿著吸塵器在他所在的房間裡走來走去，竭力表現我是多麼努力地在做事。

　　當然，我的目的是要吸引他的注意力，但是他幾乎沒有注意到我。然後我會放棄，走到房子的後面，坐在浴室地板上大哭。我哭得愈久，愈覺得自己可憐。過了幾年以後，神讓我看見爲什麼女人會跑到浴室裡去哭。祂說，那是因爲浴室裡有一面大鏡子，在她哭了很長一段時間之後可以站起來，深深地凝視鏡中的自己，看到自己眞的就是這麼可憐。

有時候我的樣子非常糟糕，以致當我看到鏡子裡的身影時，我又會開始哭。最後，我會拖著可憐的腳步穿過戴夫所在的客廳，緩緩地走著，覺得自己好可憐。有時候他會抬起頭來，問我是不是要去廚房，能不能幫他拿一些冰茶。

重點是，根本沒有用！我耗盡我的情感——而且經常因為一整天所經歷的錯誤情緒而覺得身體不適。

神不會用你的手使你得自由，而是藉著祂的手。只有神能夠改變人！除了全能的神之外，沒有人能夠令戴夫不想收看那麼多的比賽。當我學會倚靠神，在不順心的時候不再耽溺於自憐裡，戴夫收看球賽的態度確實改變了。

他仍然喜愛球賽，但是現在這件事真的不會造成我的困擾了。我會利用那段時間來做自己喜歡的事，如果真的想要或必須做別的事，我會親密地（而不是憤怒地）要求戴夫，而在大部分的情況下，他都會願意改變他的計畫。儘管如此，還是會有一些時候——而且一定會有——事情並不如我意，然而當我覺得情緒開始高漲時，我就禱告：「噢，主啊，幫助我通過這個試驗。我不想再繞著這座山頭打轉！」

23 曠野性格之八

「我不配得神的祝福，因爲我不值得。」

> 耶和華對約書亞說：
>
> 我今日將埃及的羞辱從你們身上輥去了。
>
> 因此，那地方名叫吉甲（吉甲就是輥的意思），
>
> 直到今日。
>
> （約書亞記五章9節）

　　約書亞帶領以色列人渡過約但河、進入應許之地之後，在他們準備征服並佔領第一個城鎮（也就是耶利哥城）之前，神要先做一些事。

　　神命令所有的以色列男子都要接受割禮，因爲他們在曠野飄流四十年的期間，並沒有行割禮。在完成這件事之後，神告訴約書亞，祂已經將埃及的羞辱「輥去了」。

　　幾節經文之後，進入第六章，開始記載神如何帶領以色列子民攻佔耶利哥。神爲什麼必須先將他們的羞辱除去？所謂的羞辱是什麼？

羞辱的定義

　　「羞辱」這個字的意思是「責難……恥辱；羞恥」。當神說祂將埃及的羞辱從以色列人身上「輥去」時，祂是有其用意

的。埃及代表世界；在世界中打滾數年，沾染世俗、變得世俗化之後，我們都必須將從它而來的羞辱除去。

因著我所做的事，以及發生在我身上的事，羞恥在我的性格中佔有重要的比例。我會為了發生在我身上的事而責怪自己（即使大部分事情發生在我童年時期，而我毫無辦法阻止它們）。

我們已經說過，恩典是神賞賜給我們的能力，是祂白白賜給我們的禮物，好幫助我們，可以做到力不能勝的事。神要賜給我們恩典，撒但卻想帶給我們羞恥──「羞恥」正是「羞辱」的同義字。

羞恥告訴我，我一無是處──我不配領受神的愛或幫助。羞恥毒害了我內在的人格。我不只為了他人做在我身上的事感到羞恥，也為自己感到羞恥。在內心深處，我不喜歡自己。

神將我們的羞辱輾去，意指每個人都必須親自接受祂為我們過去所有罪行所提供的赦免。

你必須明白，你永遠也不配得到神的祝福──你永遠也不值得擁有。你只能謙卑地接受並感恩，並且因著祂如此愛你而心存敬畏。

若是你恨惡自己、拒絕自己、拒絕接受神的赦免（透過赦免你自己），不明白透過耶穌寶血得稱為義的真理，那麼所有與羞恥有關的問題絕對會讓你繼續在曠野裡飄流。在透過耶穌與神和好的這件事上，你的思想必須被更新──絕對不是透過你自己的努力。

從多年宣教的經驗來看，我相信我們的問題當中，約有百分之八十五出於我們對自己的感覺。任何行走在勝利中的人，必然也行走在神的公義當中。

　　我知道我不配得神的祝福，但是我仍然接受它們，因為我與基督同作後嗣（參考羅馬書八章17節）。祂贏得這個地位，我則是透過相信祂而得到這個地位。

後嗣還是奴僕？

「可見，從此以後，你不是奴僕，乃是兒子了；既是兒子，就靠著神為後嗣。」（加拉太書四章7節）

　　你是兒子還是奴僕？是後嗣還是僕人？後嗣承受產業，並不是因為他的才能，乃是因為財產是透過遺囑轉移給另外一個人。從聖經的觀點來看，奴僕（或僕人）是指一個因著試圖遵行律法而疲累不已的人。這個用語意味著沉重的勞苦和麻煩。

　　我以奴僕的身分在曠野中飄流多年，努力追求更好的表現，讓自己配得神要在恩典中白白賜予我的東西。我的思考方式是錯的。

　　首先，我認為所有的東西都必須經過努力才能得著，且能配得：「沒有人會平白無故地為你做任何事。」我一直被教導這個原則。在我成長的過程中，一再地聽到這種說法。別人告訴我，任何一個表現得像是要為我做某些事的人都是在說謊，至終一定會佔我的便宜。

　　這個世界的經驗告訴我們，我們必須配得上所得到的每一樣東西。我們如果需要朋友，就必須讓他們一直感到快樂，否則就會被他們拒絕。我們如果希望在工作上得到升遷，就必須結識有力人士，用特定的方式去對待他們，那麼或許有一天就會有機會往上爬。一旦我們完成了這個世界的要求，隨之而來

的羞恥便會沉重地壓在我們身上，這是絕對需要輥去的。

你如何看待自己？

「我們在那裡看見亞衲族人，就是偉人；他們是偉人的
後裔。據我們看，自己就如蚱蜢一樣；據他們看，我們
也是如此。」（民數記十三章 33 節）

　　以色列人身上背負著羞恥。在這節經文中，我們可以看見
他們對自己抱持著負面的看法。以色列人在渡約但河之前，先
行差派十二名探子前往應許之地窺探；在這十二個人當中，有
十個人認為那塊土地是偉人居住的地方，這些偉人把以色列人
當成蚱蜢──以色列人也認為自己是蚱蜢。

　　這裡清楚地讓我們看見這些人對自己的想法。

　　請小心，撒但會用各種與你自己有關的負面思想充滿你的
心（如果神允許的話）。牠很早就開始在你的心裡建築營壘，
其中有許多是和你對自己、以及別人如何看待你有關的負面思
想。牠總會安排一些情境，讓你經歷到拒絕，讓你回想起過去
努力突破的過程中所經歷的痛苦。

　　害怕失敗及被拒使許多人停留在曠野之中。以色列人在埃
及為奴多年，以奴隸的身分遭受苦待，這使他們感到羞恥。有
趣的是，和摩西一同離開埃及的那一代以色列人裡，幾乎沒有
人進入應許之地；進去的是他們的子孫。但是神告訴他們，祂
必須將他們身上的羞辱輥去。

　　在這些人當中，大部分人是在父母親離開埃及之後，才在
曠野裡出生的。他們根本不曾居住過埃及，為何埃及的羞辱會

落在他們身上？

　　你父母親所承繼的事有可能遺傳給你。態度、思想和行為模式都可以被繼承，因此你父母所擁有的錯誤思考模式也會成為你的思考模式。你對某些事物的看法可能源自遺傳，而你甚至不知道為什麼你會那樣想。

　　父母的自我形象如果不佳、認為自己沒有價值，抱著「我不配得到神祝福」的態度，這種思考態度絕對會遺傳給孩子。

　　我在本書前面的章節裡雖然談過這件事，但是因為這件事非常重要，請容我再次提醒你：你必須留意心中對於自己的想法。如果你願意接受，神願意賜你恩典，赦免你的失敗。祂不將恩典賞賜那些沒有缺點、從不犯錯的完全人，而是給那些信任祂、相信祂的人。

對神的信心討祂喜悅

　　「人非有信，就不能得神的喜悅；因為到神面前來的人必須信有神，且信祂賞賜那尋求祂的人。」（希伯來書十一章6節）

　　請注意，若是沒有信心，就不能得神的喜悅。因此，無論你做了多少「好事」，若是為了「贏得」神的喜愛而做這些事，你並不能得神的喜悅。

　　我們為神做的任何事都應該是因著愛祂的緣故，而不是為了要從祂那裡得著什麼好處。

　　這段經文說，神賞賜尋求祂的人。當我終於看見這個真理時，我的心中充滿喜樂！我知道過去的我犯了很多錯，但是我

也知道我全心全意地尋求祂，這表示我有得賞賜的資格。很久以前我就決定，我要接受神願意賞賜我的任何祝福。

神願意帶領以色列人進入應許之地，並且祝福他們，超乎他們所求所想。但是，首先祂必須除去他們的羞恥。只要他們被羞恥、責備和羞辱的重擔壓制，就會無法接受祂的祝福。

無有瑕疵

「就如神從創立世界以前，在基督裡揀選了我們，使我們在祂面前成爲聖潔，無有瑕疵。」（以弗所書一章4節）

這是一段奇妙的經文！神告訴我們，我們屬於祂，並且告訴我們，祂要我們做什麼——我們應該知道我們是蒙愛的，我們是特別、有價值的，而且我們應該成爲聖潔、沒有瑕疵。

當然，我們應該盡力過一個聖潔的生活。但是感謝神，當我們犯錯時，我們可以獲得赦免，並且恢復聖潔，再次成爲沒有瑕疵的人——都因「在祂面前」。

沒有羞辱或瑕疵

「你們中間若有缺少智慧的，應當求那厚賜與衆人、也不斥責人的神，主就必賜給他。」（雅各書一章5節）

此外，這一段偉大的經文又說，我們可以不受責備地接受神的恩典。

　　雅各書的寫作對象是面對試煉的人，現在雅各告訴他們，在所面對的光景中若是需要智慧，他們應該尋求神。他向他們保證，神不會斥責他們——祂會幫助他們。

　　倘若沒有神大能的幫助，你永遠也不可能穿過曠野。但是，如果你對自己抱持著負面的態度，即使祂真的要幫助你，你也不會接受。

　　假如你希望擁有得勝、有力、積極的生命，你就不能消極看待自己。不要只看你必須走多遠，也要看看你已經走了多遠。想想你進步了多少，牢記腓立比書一章6節：「我深信那在你們心裡動了善工的，必成全這工，直到耶穌基督的日子。」

　　用積極的思想和話語看待你自己！

24 曠野性格之九

「當別人比我更好時，我爲什麼不能嫉妒？」

波得看見他，就問耶穌說：

「主啊，這人將來如何？」耶穌對他說：

「我若要他等到我來的時候，與你何干？你跟從我吧！」

（約翰福音廿一章 21～22 節）

在約翰福音第廿一章，耶穌和彼得談到，他爲了事奉神及榮耀神的緣故所必須忍受的苦難。當耶穌向彼得說完這些事時，彼得轉身看見約翰，立刻就問耶穌對約翰的心意爲何。彼得想要確定，如果未來他必須經歷艱難的時刻，那麼約翰也應該如此。

耶穌的回應是：祂禮貌地告訴彼得，少管閒事。

管別人的閒事（把我們的心思專注其上），會使我們停留在曠野。嫉妒、羨慕及在心中和他人作比較，也是一種曠野性格。

小心嫉妒和羨慕

「心中安靜是肉體的生命；嫉妒是骨中的朽爛。」（箴言十四章 30 節）

　　嫉妒會使一個人做出無情、蠻橫的行為——有時候甚至會出現野獸般的舉止。嫉妒促使約瑟的哥哥將他賣為奴隸,他們恨他,因為父親非常愛他。

　　如果你的家庭裡有人比你更得寵愛,不要恨那個人。相信神!遵行祂的旨意——相信祂,得祂的喜悅,你就會像約瑟一樣,受到極大的祝福。

　　威氏新舊約字辭註解辭典將翻譯為「嫉妒」的希臘文定義為:「因為目睹其他人的成功而產生的不快感覺」。韋氏字典對嫉妒的定義為:「覺得妒意,不安,或不快」。我對這個定義的解讀是:害怕你所擁有的會拱手讓給他人;由於羨慕而對他人的成功感到氣憤。

不要比較爭競

> 「門徒起了爭論,他們中間哪一個可算為大。耶穌說:『外邦人有君王為主治理他們,那掌權管他們的稱為恩主。但你們不可這樣;你們裡頭為大的,倒要像年幼的;為首領的,倒要像服事人的。』」(路加福音廿二章24～26節)

　　在我早年的生活中,我在嫉妒和比較方面有著極大的掙扎。這是缺少安全感的典型表現。我們如果不能肯定自己身為一個獨特個體的價值,當然就會和所有看來成功的人競爭。

　　認知我是一個獨特個體(神對我的生命有個獨特的計畫),確實是神賜給我最有價值、最寶貴的自由之一。我得到確據,我不需要拿自己(以及我的事工)去和任何人作比較。

　　當我知道耶穌的門徒和我一樣面對許多同樣的掙扎時，我就感覺受到激勵。在路加福音第廿二章，我們發現門徒爭論誰為大。耶穌給他們的回答是，事實上最大的人就是那個願意被視為最不起眼的人，或是願意做僕人的人。我們的主花了許多時間教導祂的門徒，神國度裡的生命往往與肉體世界的方法背道而馳。

　　耶穌教導他們：「在前的必要在後，在後的必要在前。」（馬可福音十章31節）「與蒙福的人一同歡樂。」（參考路加福音十五章6～9節）「為你的敵人禱告，祝福苦待你的人。」（馬太福音五章44節）。世界會說這種做法很蠢，但是耶穌說這是真正的力量。

避免屬世的爭競

「不要貪圖虛名，彼此惹氣，互相嫉妒。」（加拉太書五章26節）

　　根據世界的體系，最好的地位是領先群倫。一般人的想法是：我們應該設法爬到頂端，無論在過程中必須傷害什麼人。但是聖經教導我們，除非能夠擺脫與其他人爭競的需要，否則根本不可能得到真正的平安。

　　即使在應該被視為「趣味競賽」的場合中，我們也常常看到因為競爭過於激烈，以致參賽者開始爭論及彼此憎恨，而非輕鬆地一起度過美好時光。當然，人類比賽的目的不是為了輸；每個人都要盡其所能。但是，如果一個人必須獲勝才能享受遊戲時，他一定有些問題——可能是一個根深柢固的問題，

這個問題也導致他生命中其他許多方面的問題。

　　我們絕對應該在工作中竭盡所能；在我們選擇的職業中力求表現，並且希望更上一層樓，這種想法並沒有什麼不對。但是你應該牢記，信徒的提升來自神，而非來自人，你我不需要玩屬世的遊戲來爭取在上的地位。我們如果用神的方式行事，神會讓我們得到祂和其他人的喜愛。

　　嫉妒是來自地獄的折磨。曾經有好幾年的時間，我嫉妒、羨慕那些看來比我亮麗、或是擁有我所缺乏之才能的人。我私下和其他的宣教士爭競。「我的」事工規模比別人大、比較多人參加、較為興旺等等，這些對我而言非常重要。另一個人的事工如果在任何方面超越了我，我應該為那個人感到快樂，因為我知道那是神的心意和方式，但在我的靈裡就是有些東西不允許我這麼做。

　　後來我發現，當我在基督裡愈來愈認識自己，而不是透過工作來認識自己時，我就獲得了自由；我不需要拿自己或我做的事去和任何人比較。我愈學會信靠神，在這些方面就享有更多的自由。我知道天父愛我，祂會為我預備最好的──單單為了我。

　　神為你、為我成就的事，可能和祂為別人成就的事不一樣，但是我們必須記住耶穌對彼得說的話：「不要管我為其他人做了什麼──你跟從我吧！」

　　我有一位朋友，曾經獲得神所賜的恩賜，那是我長久以來一直渴求的恩賜。我不認為這位朋友和我一樣「屬靈」，因此當她興奮地來我家和我分享神為她成就的事時，我非常嫉妒她。當然，在她的面前，我假裝和她一同快樂，但是我的心中並非如此。

　　當她離開時，我對自己表現出來的態度大吃一驚；我從來沒有想過心中會有這種態度！事實上，我對於神給她的祝福感到憤怒，因為我認為她不配得。畢竟我留在家裡禁食祈禱，而她卻和朋友四處享樂。你看，我是個「法利賽人」，一個虔誠的勢利小人，而我甚至不自知。

　　神經常用我們不喜歡的方式來安排事情，因為祂知道我們真正的需要。我必須除去惡劣的態度，這比我獲得自以為需要的任何事情都重要。對神而言，重要的是安排我們的環境，讓我們能夠面對自我，否則我們永遠無法經歷到自由。

　　只要敵人能夠隱藏在我們的靈魂裡，牠對我們就擁有一定的控制權。但是，當神讓牠暴露出來的時候，我們就走上自由的道路，只是我們必須把自己放在神的手中，允許祂速速實現祂的心意。

　　事實上，神已經為我的生命安排了一個計畫；祂要我管理的事工規模相當大，而且要透過廣播、電視、研討會、書籍和錄音帶接觸到數百萬人。但是除非我在祂裡面「成長」，否則祂不會在我身上實現這個計畫。

追求新的思考模式！

　　「親愛的兄弟啊，我願你凡事興盛，身體健壯，正如你的靈魂興盛一樣。」（約翰三書 2 節）

　　用心思想這節經文。神樂意祝福我們，遠超過我們所配得的。但是也因著愛我們的緣故，祂的祝福不會超過我們的容量，以免我們無法承受而不能繼續將榮耀歸給祂。

　　嫉妒以及與他人比較是幼稚的行為。它完全屬乎肉體，和屬靈的事沒有任何關係，但它是造成曠野生命的主要原因之一。

　　你的思想與這件事有關。當你發現錯誤的思想開始進入你的心中時，和你自己談一談。對你自己說：「嫉妒別人對我有什麼好處？它不能讓我蒙受祝福。神對每個人都有特別的計畫，我相信祂會為我安排最好的。祂為別人安排的計畫與我沒有任何關係。」然後自由地為對方代禱，求神更加祝福他們。

　　不要害怕向神坦誠你的感覺。無論如何，祂都知道你的感覺，因此你可以放心地和祂討論這件事。

　　我曾經向神說過這樣的話：「主啊，我為＿＿＿＿禱告，求祢更加祝福她。讓她富足，在各方面都祝福她。主啊，我憑信心向祢祈求這事。我的靈裡嫉妒她，覺得不如她，但是我選擇照祢的旨意行，無論我是否喜歡。」

　　最近我聽到某人說，無論我們表現得多好，總是會有人表現得比我們更好。這句話對我有極大的衝擊，因為我知道這句話是真的。倘若這是真的，那麼窮一生之力掙扎著超越別人有什麼意義？當我們佔據第一名的位置時，就會有人與我們競爭，而且遲早會出現一個表現得比我們更好的人，無論我們從事何種行業。

　　就拿運動來說吧，似乎無論哪位運動員寫下什麼記錄，最後總會出現另外一個運動員打破世界記錄。娛樂界呢？目前的巨星只能紅一陣子，然後就會出現其他新人取代他的位置。魔鬼讓我們以為必須隨時勉力超越其他人，然後奮力保有地位——這是多麼可怕的欺騙手段。

　　很久以前，神要我記住一件事：「流星」竄起的速度很

快，也吸引很多人的注意力，但是通常只出現很短暫的時間。
在大部分的情況中，它們落下的速度就與它們竄起的速度一樣
快。祂告訴我，維持長期的事工並盡我所能地去實現祂對我的
心意，要比大起大落好得多。祂向我保證，祂會負責我的名
聲。就我的部分而言，我已經決定：無論祂要我做什麼事，要
我成為什麼人，我都無所謂。為什麼？因為祂比我更明白我的
能力極限。

　　也許你在這方面有一座心理上的營壘，已經存在很長的一
段時間。每當你遇到一個似乎略為超越你的人時，你就覺得嫉
妒，或是想要和那個人爭競。若是如此，我鼓勵你追求新的思
考態度。

　　讓你的心為其他人快樂，並將自己交託給神。這需要一些
時間和堅持，但是當舊有的心理營壘被拆毀、由神的話語取而
代之時，你就是走上離開曠野的道路，進入應許之地。

25 曠野性格之十

「照我的方法做，不然就別做。」

> 好叫他們仰望神，不忘記神的作為，
>
> 惟要守祂的命令。不要像他們的祖宗，
>
> 是頑梗悖逆、居心不正之輩，向著神，心不誠實。
>
> （詩篇七十八篇 7～8 節）

　　以色列人在曠野飄流的那些年間，表現出更強烈的頑固及背叛、那正是使得他們死在曠野的原因。他們就是不願意做神要他們做的事！當他們陷入困境時會向神呼求，求神帶領他們脫離問題。他們甚至會順服，聽從祂的指示──直到情況改善為止。然後，他們一再地回到背叛的道路。

　　在舊約聖經裡，同樣的循環一再地發生，並且有多次記錄，簡直令人難以置信。但是，我們如果不是行走在智慧中，也會將生命浪費在同樣的事上。

　　我想，有一些人的天性就是比其他人頑梗及叛逆。當然，我們必須考慮到每個人的背景及生長的環境，因為這些因素也會影響我們。

　　我生來的性格就比較強悍，很可能有許多年的時間，無論是什麼事，我都試圖要「照我的方式去做」。但在我遭受虐待及控制的那段歲月，加上原本即強悍的個性，兩相結合，便使我發展出不聽從任何人的思考態度。

很顯然地，神必須先對付我這種惡劣的態度，才能使用我。

神要求我們學習放下自己的方式，在祂手中接受塑造。只要我們頑固、叛逆，祂就不能使用我們。

我對「頑固」的定義是倔強，難以處理或同工；而「叛逆」則是拒絕控制，拒絕糾正、不受管教，拒絕遵循一般的規範。這些定義都可以用來形容我，因為我正是這個樣子！

我在早年遭受的虐待，使我對於權威抱持著偏激的態度。但是正如我在本書前面所說的，我不能允許我的過去成為停留在叛逆或任何情況中的藉口。得勝的生活需要立即、確實地順服神，因此我們放下自己的意志、遵行祂旨意的能力和意願都會成長。我們必須繼續在這方面進步，這是很重要的。

光是達到一個穩定狀態，心想：「我已經走得夠遠了。」這樣是不夠的。我們必須在所有的事上都順服——生命中的每一扇門都必須向主敞開。我們的生命中都有一些地方，是我們會想辦法保留的，但是不要忘記，一點麵酵就能使全團發起來（參考哥林多前書五章6節）。

神要的是順服，不是祭物

「撒母耳說：『耶和華喜悅燔祭和平安祭，豈如喜悅人聽從祂的話呢？聽命勝於獻祭；順從勝於公羊的脂油。悖逆的罪與行邪術的罪相等；頑梗的罪與拜虛神和偶像的罪相同。你既厭棄耶和華的命令，耶和華也厭棄你作王。』」（撒母耳記上十五章 22 ～ 23 節）

察看掃羅的生命，可以讓我們清楚地看見他獲得當王的機

會。由於頑梗和悖逆之故，他的地位並沒有維持多久。他對事物有自己的看法。

有一次，先知撒母耳責備掃羅沒有照他所得的指示去做，掃羅的回答是：「我以為……。」然後，他繼續表達他認為事情應該如何完成（參考撒母耳記上十章6～8節，十三章8～14節）。撒母耳對掃羅王的回答是：神要的是順服，不是祭物。

我們經常不願意做神所要求的事，然後企圖做一些事來彌補自己的不順服。

有多少神的兒女，因著自己的頑梗和悖逆而未能「在生命中做王」（參考羅馬書五章17節；啟示錄一章6節）？

擴大版聖經的傳道書引言說：「本書的目的是探討生命的整體意義，並教導讀者：若是不敬畏神，生命就沒有意義。」

我們必須明白，若是沒有順服，就不會有敬畏。今天許多孩童所表現出來的叛逆，乃源自對父母親缺少敬畏。這通常是父母親的錯，因為他們沒有在孩子面前活出令他們敬畏的生活。

大部分的學者同意，傳道書是所羅門王所著的；神賜他遠超過任何人的智慧。所羅門如果有這麼高的智慧，他的一生為何會犯下如此多可怕的錯誤？答案很簡單：你可能擁有一樣東西，卻不去使用它。我們擁有基督的心，但我們是否使用它？耶穌已經在我們裡面放下來自神的智慧，但是我們懂得使用智慧嗎？

所羅門想走自己的道路，做他想做的事。他的一生不斷地嘗試新事。他擁有金錢能夠購買的一切東西——上好的屬世樂趣，但是在傳道書結束時，他寫下這樣的句子：

「這些事都已聽見了，總意就是：敬畏神，謹守祂的誡命，這是人所當盡的本分。」（傳道書十二章 13 節）

容許我將我對這段經文的領受寫下來：

人類被造的目的，就是透過順服神來敬畏及敬拜神。所有敬虔的性格都必須根植於順服——它是所有喜樂的基礎。若不順服神，沒有人能夠獲得真正的快樂。生命中一切混亂的事物，都將透過順服而得以撥亂反正。順服是人類的責任。

就我而言，傳道書十二章13節是一節令人敬畏的經文，我鼓勵你繼續自行研讀。

順服及不順服：二者皆有結果

「因一人的悖逆，眾人成為罪人；照樣，因一人的順從，眾人也成為義了。」（羅馬書五章 19 節）

無論我們選擇順服或不順服，我們的選擇不但會影響自己，也會影響他人。想想看：以色列人如果順服神，他們的生命會是多麼美好。他們自己和許多子孫死在曠野，因為他們不肯順從神的道。他們的孩子被他們的決定所影響，我們也是如此。

最近我的大兒子說：「媽，我有事要告訴你，我可能會哭，但是請聽我說完。」然後他說：「我一直在想你和爸爸，

還有你們投入這項事工的這些日子，你們總是選擇順服神，我也看到對你們來說並不是都很容易。媽，我知道你和爸爸經歷過沒有人知道的事，我要你們知道，今天早上神讓我發現，你們的順服讓我獲益良多，我很感激你們。」

他所說的話對我具有莫大的意義，而且令我想起羅馬書五章 19 節。

你決定順服神，會影響其他的人；當你決定不順服神，也會影響其他的人。你可以不順服神，選擇停留在曠野，但是請記住：假如你現在有孩子，或是以後會有孩子，你的決定會讓他們和你一起留在曠野。等他們長大時，他們也許可以自己走出來，但是我向你保證，他們會因為你的不順服而付出代價。

如果你在過去的生命中曾有人順服神，你現在的光景可能會好得多。

順服是一件影響久遠的事；它關閉地獄之門，開啟天堂的窗戶。

我可以寫一本關於順服的書，但是現在我只想強調：不順服的生命是錯誤思想的果子。

將所有思想帶到基督裡面

「我們爭戰的兵器本不是屬血氣的，乃是在神面前有能力，可以攻破堅固的營壘，將各樣的計謀，各樣攔阻人認識神的那些自高之事，一概攻破了，又將人所有的心意奪回，使他都順服基督。」（哥林多後書十章 4～5 節）

我們的思想正是使我們經常陷入困境的原因。

在以賽亞書五十五章8節，神說：「我的意念非同你們的意念；我的道路非同你們的道路。」無論你我的想法是什麼，神已經為了我們的緣故，將祂的想法寫在聖經裡。我們必須選擇在神話語的光照中檢視自己的思想，並且隨時願意放下而順從祂的思想，因為我們知道祂是最好的。

這正是哥林多後書十章4～5節的重點。察驗你的思想中有什麼東西，它與神的思想（聖經）如果不合，就放下你自己的想法，想想祂的思想。

讓自己活在思想虛空中的人不但毀了自己，也往往為周圍的人帶來毀滅。

心思就是戰場！

就在這個思想的戰場上，決定了你是否贏得撒但發動的這場戰爭。我衷心企盼，這本書能夠幫助你拋去想像，以及任何高舉自己、卻與神的知識相牴觸的事物，謙卑地放下所有的思想，進入對耶穌基督的順服中。

關於作者

　　喬依絲・邁爾（Joyce Meyer）自一九七六年即從事教導神話語的工作，並於一九八〇年開始全時間的事奉。她於擔任密蘇里州聖路易市基督徒生命中心（Life Christian Center in St. Louis, Missouri）的助理牧師時，即著手規畫、統籌名為「生命真道」的每週聚會，並任教導之職。此聚會持續超過五年後，主帶領喬依絲建立自己的事工，成立了「生命真道」事工。

　　在全美，人們可以從超過二百五十個電台中收聽到喬依絲「生命真道」廣播節目。一九九三年間，長達三十分鐘的「與喬依絲・邁爾共享生命真道」電視節目在全美各地以及數個國家均有播放。她所出版的教導錄音帶也在國際間受到極大的肯定與支持。喬依絲不僅四處密集出訪，舉辦「生命真道」講座，亦廣受各地方教會邀約擔任講員。

　　喬依絲的丈夫現任「生命真道」事業部總監；兩人結褵三十餘年，育有四名兒女，其中三名已婚，現與么兒定居位於密蘇里州聖路易市郊的芬頓鎮（Fenton）。

　　喬依絲深信，神對她生命的呼召乃是幫助信徒堅立在神的話語上。她說：「耶穌以死來釋放被擄者，然而有太多的基督徒在日常生活中很少或毫無得勝可言。」喬依絲在多年前發現自己有相同的處境，然而她應用神的話語活出得勝的生命，並在得著真自由後接受裝備投入事奉，使被擄者得釋放。

喬依絲足跡遍及全美各地，成千上萬的人在她主領的內在醫治及相關主題的特會中得著幫助。她所錄製的有聲專輯已超過一百七十卷，並且已有廿七本著作問世，其中議題包羅萬象，使基督的肢體同得幫助。

她的《內在醫治有聲套裝書》（Emotional Healing Package）教導內容超過廿三小時。套裝書內含專題如下：《自信心》（Confidence）、《華冠代替灰塵》（Beauty for Ashes, 含課程表）、《管理你的情緒》（Managing Your Emotions）、《苦毒、憤恨與不饒恕》（Bitterness, Resentment, and Unforgiveness）、《拒絕的根源》（Root of Rejection）；另有一卷九十分鐘的靈修音樂帶——《醫治破碎的心》（Healing the Brokenhearted）。

喬依絲另有《心思意念有聲套裝書》（Mind Package），其特色為以人的心思意念為主要議題，共有五大不同系列：《內在的堅固營壘與心防》（Mental Strongholds and Mindsets）、《心靈曠野》（Wilderness Mentality）、《屬肉體的心思意念》（The Mind of the Flesh）、《猶豫的心》（The Wandering, Wondering Mind）以及《心、口、心情與心態》（Mind, Mouth, Moods & Attitudes），亦收錄喬依絲長達二百六十頁的強力鉅著——《心思的戰場》。在愛的議題上，她也錄製了兩大系列有聲書：《愛是……》（Love is...）以及《至高的力量：愛》（Love: The Ultimate Power）。

若欲取得你所需要的有聲書、產品目錄與進一步的資料，請洽喬依絲‧邁爾辦公室，讓你的生命得著完全的醫治。

Joyce Myer
Life In the Word, Inc.
P.O.Box655, Fenton,
Missouri 63026, USA

屬靈爭戰叢書　EF016

心思的戰場

原　　　著／喬依絲・邁爾
譯　　　者／林以舜、黃慶苓
編　　　輯／沈香芸、林泳
封面設計／黃馨玉
發　行　人／章啓明
出　版　者／財團法人基督教以琳書房
地　　　址／臺北市 106 忠孝東路四段 210 號 B1
網　　　址／www.elimbookstore.com.tw
電　　　話／(02)27772560 轉 151 、 152
郵政劃撥／0586363-4　財團法人基督教以琳書房
登　記　證／局版臺業字第 2854 號
版權所有・請勿翻印
出版日期／2002 年 9 月一版一刷
再版年分／ 10 09 08 07 06 05 04 03 02
再版刷數／ 15 14 13 12 11 10 09 08 07 06 05 04 03 02 01

原著書名／**Battlefield of the Mind**

by Joyce Meyer

Copyright © 1995 by Joyce Meyer, Life In The Word, Inc., P.O. Box 655, Fenton, Missouri 63026 U.S.A. and first publication of the translated work.

Originally published in English by Harrison House, Inc., 2448 E. 81st Street, Suite 4900, Tulsa, Oklahoma 74137, U.S.A., under the title *Battlefield of the Mind*, by Joyce Mayer, ISBN 0-89274-778-1

For the rights to publish this book in other languages contact Life In The Word, P.O. Box 655, Fenton, Mo. 63026-0655 U.S.A. Fax Number: 636-349-1222.

All Rights Reserved.

Chinese Edition Copyright © 2002 by Elim Christian Bookstore

本書如有缺頁、破損、裝訂錯誤，請寄回本書房調換。
ISBN 957-9183-97-X　（平裝）

國家圖書館出版品預行編目資料

心思的戰場 / 喬依絲·邁爾(Joyce Meyer)原著
;林以舜,黃慶苓譯. -- 一版. -- 臺北市 :
以琳, 2002[民91]
　　面 ;　　公分. -- (屬靈爭戰叢書 ; EF016)
譯自 : Battlefield of the mind : how to
win the war in your mind
　ISBN 957-9183-97-X (平裝)

　1. 基督徒

244.9   91014569